KB196467

서툰 언니의 인생 요리법

서툰 언니의 인생 요리법

초판 1쇄 발행 | 2020년 3월 30일

지은이 | 윤귀연
펴낸이 | 김지연
펴낸곳 | 마음세상

주 소 | 경기도 파주시 한빛로 70 515-501

신고번호 | 제406-2011-000024호
신고일자 | 2011년 3월 7일

ISBN | 979-11-5636-386-6 (03810)

원고투고 | maumsesang2@nate.com

* 값 13,200원

* 마음세상은 삶의 감동을 이끌어내는 진솔한 책을 발간하
고 있습니다. 참신한 원고가 준비되셨다면 망설이지 마시고
연락주세요.

이 도서의 국립중앙도서관 출판예정도서목록(CIP)은 서지
정보유통지원시스템 홈페이지(http://seoji.nl.go.kr)와 국가
자료종합목록 구축시스템(http://kolis-net.nl.go.kr)에서 이
용하실 수 있습니다. (CIP제어번호 : CIP2020010239)

서툰 언니의 인생 요리법

윤귀연 지음

마음세상

들어가는 글
지금의 모습이 전부가 아니다

화창한 날, 상담하기 위해 운전을 했다. 콧구멍으로 들어온 시원한 바람은 미소를 짓게 했고 콧소리가 절로 나왔다. 곧 더워지겠지만 지금의 상쾌한 바람을 즐기리라.

삶이라는 게 슬플 때도 때때로 비참해질 때도 있다가도 행복함에 감사하는 게 인생인 듯하다.

'흰 도화지에 자신의 삶을 표현해 보라' 하면 주저 없이 엎어지고 일어나며 망설이지만 도전하는 그림을 그렸을 것이다. 40여 년을 살면서 인생이 만만치 않았다. 사는 것 자체가 고행이요 짐이었다. 넓은 세상 내 편 하나 있으면 그나마 견딜 만하겠지만 그것조차도 쉽지 않았다.

어릴 적부터 혼자 해결해 나가야 했기에 시행착오와 후회되는 시간이 많았다. 속상할수록 '방향을 알려주는 어른이 없다'며 가슴을 쳤다. 고민이 있거나

6

어떻게 나아가야할 지의 갈림길에 설 때 더욱 그랬다. 죽고 싶어 자해한 적도 있었다. 존재를 부정하고 싶었던 시간도 있었다. 치열하게 살아오는 과정에서 자신에 대한 의구심이 생기기도 했다. '너는 안돼'라는 한계를 설정하기도 했다. 하지만 그런 과정에서 희망의 씨앗이 자라고 있었다. 삶의 태도를 바꾸는 순간 삶이 바로 달라지지는 않았지만, 가랑비 옷 젖듯 변화되고 있었다. 조급한 마음을 내려놓으니 길이 보이기 시작했다. 자식이 나를 쳐다보며 사랑을 갈구하며 보살핌을 필요로 할 때 정신이 차려졌다.

"그래! 다시 시작하자."

서툰 언니의 삶을 되돌아보면 어떤 관점으로 보느냐에 따라 천국이 될 수 있고 지옥이 되기도 했다. 지나가니 이랬으면 하는 아쉬움이 많이 남았다. 그래! 실수투성이였던 지난 일들을 되짚어 보며 나처럼 실수하지 않고 후회하지 않도록 옆집 언니처럼 이야기해 주자.

아픈 곳을 찌르고 터트리며 조금씩 인생을 요리해 나갔다. 절망이라는 인생 재료를 어떻게 다루느냐에 따라 용기라는 따뜻한 요리가 탄생하기도 했다. 힘든 이들에게 힘내자의 밥과 괜찮다 반찬을 내놓으며 살아보니 지금의 힘듦이 좋은 소화제가 된다는 위로의 밥상이 되길 바라며 써 내려갔다.

조금은 평범하지 않았던 인생 이야기다. 끝이 보이지 않을 것 같아도 끝자락에는 희망을 잡고 있었고, 숨 쉬는 것 조차 사치요, 낭비라 느껴지더라도 배가 고프면 뭐라도 먹을 거 찾았다. 그만큼 삶이 가볍지 않았다. 살아야 하는 이유를 대며 인생재료를 어떻게 다루어야 하는지를 고민하며 살았다.

공부할 때나 현장에서 느꼈던 많은 경험을 바탕으로 나만의 신념과 가치가 생겼다. 비록 맛깔나는 명인의 인생 손맛은 아니지만 각 재료의 본연의 맛을 이해하고 발효시키며 나누고 싶다.

조금만 견디자. 인생은 모르는 법이다. 그저 묵묵히 자신의 삶을 보담아가며 숙성되어 가는 과정이라 여기며 살아간다면 좋은 일은 생긴다. 힘들 때는 하늘 한번 쳐다보며 허허 웃고 행복할 때는 허허 미소를 품는 여유를 가진다면 인생은 아름답다.

이제는 100세 시대라서 늦었다고 하기엔 살아갈 시간이 많다. 나이 무게에 두려워하지 말고, 자신을 믿으며 앞으로의 삶을 더 행복하게 살아가야 하지 않겠는가. 어떤 핑계에서 벗어나 '나'라는 일인칭에서 시작하자. 삶이 절망으로 가득 찼다고 느꼈을 때가 있을 것이다. 그늘이 짙다는 건 태양이 그만큼 강렬하다는 것이다. 조금만 참고 기다리자.

요리는 하다 보면 는다는 말이 있다. 인생 요리는 더 그렇다. 각 요리의 황금비율이 있지만, 인생에서의 황금비율은 자신만이 알 수 있고, 조리할 수 있다. 얼마나 아름다운 것인가! 자기 삶의 주인공은 바로 나. 자신 있게 내세우는 날이 되었으면 한다.

지금은 잘살고 있습니까? 하면 '아니요. 아직도 시행착오가 많습니다'라고 말할 것이다. 남들보다 배우는 시간도 이해력도 높지 않아 더디기는 하겠지만 포기하지 않고 더 나은 인생 요리를 위해 나아갈 것이다. 그 누군가에게 힘이 된다면 포기할 수 없는 나의 소명이자 살아가는 이유이기 때문이다.

나만의 특별 요리법으로 삶의 재료를 연구할 것이다. 그 인생 요리가 그 누군가에게 따뜻한 밥상이 되는 그날까지 연구는 진행될 것이다.

제1장
쓴 맛, 단맛에 지친 일상

40대가 되면 굳건한 성품이 될 줄 알았다.

하지만 여전히 유혹에 약하고 지혜롭지 못하다.

도전할 용기가 필요할 때면 어디선가 악마의 속삭임이 들려온다.

'뭐가 달라진다고 고생하니? 이대로 살아' 등

달콤살벌한 말이 귓가에 맴돈다.

불확실할수록 익숙한 대로, 익숙한 맛으로 가기를 원한다.

조금만 견디면 되는데도

흔들리는 갈대처럼 속절없이 끌려간다.

그것이 아니라는 것을 알지만.

모멸감으로 시작한 학업

여기서 벗어날 거야! 이를 갈며 결심했다.

없는 집안 형편 속에서도 자존심 중시였던 아빠, 자식만 바라보는 악바리 가장 엄마. 언제 터질지 모를 지뢰밭 같은 곳에서 유년기를 보냈다. 폭탄이 터졌던 날은 언니가 고등학교 때 일어났다. 그 시절에 분기별로 고등학교 등록금을 내야 했다. 엄마는 납부 일에 맞춰 조금씩 돈을 이불 사이에 모아두었다. 자신의 삶에 충실했던 아빠는 언니 등록금으로 노름을 했다. 등록금이 없어진 것을 알게 된 언니는 울고, 엄마는 아빠가 가져갔을 것 같다며 오기만을 기다렸다.

"큰애 등록금 내려고 모아둔 돈 당신이 가져갔어?"

엄마는 큰소리를 내며 아빠를 추궁했다.

"네가 그리 큰소리치니 집에 들어올 맛이 나나! 그래, 가져갔다 왜!"

"그 돈이 어떤 돈인지 알고 가져갔어?"

"시끄럽다!"

엄마는 화를 내며 아빠한테 대들었다. 방귀 뀐 놈이 성질낸다고, 아빠는 더욱 큰소리를 내며 엄마를 때렸다. 자식이 4명이나 있어도 당신은 깔끔한 옷차림에 대접받는 일을 찾았다.

"왔어~ 내 강아지, 배고프지 엄마가 맛난 거 해 줄게."

따뜻한 가정의 모습은 드라마에서 대리 만족을 해야 했다. 포근한 집안에서 하하 호호 웃으며 엄마가 내 머리를 만지며 행복해하는 모습은 그저 꿈속에서만 등장했다.

답답했다. 내가 한 달간 일해서 번 돈은 고스란히 우리 집의 생활비로 써야 했다. 분명히 월급을 받았지만, 돌아오는 것은 소액의 용돈뿐이었다. 20살이었던 시절 화장과 예쁜 옷은 그저 사치에 불가했다. 희망이 없는 곳에서 당당히 벗어날 방법은 결혼뿐이었다. 단, 아버지와는 반대되는 사람을 만나야 한다는 강한 다짐뿐이었다.

그러다 21살 때 한 스튜디오에서 아르바이트했다. 일이 많아 다들 늦게 퇴근했지만, 그 남자는 남아서 자신이 찍은 사진 작업을 했다. 좁은 작업실과 불편한 공간에서 편하게 잠을 못 잤을 텐데 싫은 내색을 하지 않았다. 출근하는 직원에게 웃으면서 "좋은 아침입니다."라며 인사를 건넸다. 사람을 대할 때도 눈을 마주치며 응답했고, 상사가 뭐라고 하면 흔쾌히 "네. 좀 더 노력하겠습니다" 힘든 일인데도 솔선수범하며 "제가 하겠습니다." 다들 귀찮아할 수 있는 일도 인상 쓰지 않고 "괜찮습니다."라고 답하며 말하는 이가 오히려 미안한 마음이 들게 했다. 사람 좋다고 소문이 자자했다. 그리고 내 뇌리에는 번득 이런 생각이 스쳐 갔다.

'이 남자다! 그래. 이 남자랑 결혼해서 나만의 가정, 나만의 세계를 만들어

가자.'

21살 어린 여자가 26세 사회 초년생인 남자를 꾀었다. 순진한 건지, 너무 좋다고 직설적으로 표현해서 그런지 23세 그녀와 28세 그는 크리스마스이브 때 결혼했다. 이제 좋은 세상이 열릴 것이라는 희망을 품으며 신혼생활은 시작되었다.

결혼 준비를 하면서 알게 된 것이지만, 그는 그 동네에선 경제력이 있는 풍족한 집안의 자제였다.

시부모님 집에서 신혼살림을 차렸다. 아무것도 모른 채 시작한 주부라 요리부터 집안일까지 일일이 시어머니께 배웠다. 파를 어슷썰기 하라 하면 처음엔 어슷썰기 하는 듯했으나 이상한 모양으로 썰었다. 미나리를 다듬으라 하면 잎사귀는 다 버리고 줄기만 남겼다. 얼마나 답답했을까? 제사가 많았지만 처음 접하는 제사라 콩나물은 어떻게 다듬어야 하는지 도통 감을 잡을 수 없어 무조건 씻어 방치했다. 콩나물 색깔이 푸른색으로 변색한 콩나물을 보시고 시어머님은 '아이고야!' 하며 한숨을 내쉬었다. 잘하고자 했지만, 실수 연발이었다.

아침에 손이 퉁퉁 부어 주먹을 쥘 수 없을 정도의 임신한 몸이었지만 쉬면 안 될 것 같았다. 시부모님과 어떻게 지내야 하는지 감도 잡히지 않았다. 시행착오가 많아질수록 시댁 식구들과 대면하는 것이 편하지 않았다. 명절이 되면 형님들 부모님은 시부모님 드리라며 선물들을 가져왔지만, 우리 친정에서는 소소한 것도 없었다. 어느 누가 지적한 적은 없었지만, 스스로 없는 집안이라 무시당하는 것만 같은 느낌이 들었다. 친정 부모님이 미웠다. 돈도 없고 명절 때 선물 하나 주지 못하는 형편이라는 게 싫었다. 신랑만 바라보며 꿈꿨던 결혼생활이었지만, 그는 효자였고 착한 동생이자 도련님 역할에만 충실했다.

"집사람한테 시키시고 형수님은 쉬세요."

가장 먼저 챙겨야 하는 아내는 그에게 뒷전이었다. 총각 때 솔선수범했던 행동들이 시댁에서도 했던 것이었다. 너무나도 잘했기에, 시댁 식구들은 볼일 있으면 남편한테 전달했고 나는 그저 통보를 받을 뿐이었다. 내 자리는 어디에도 없었다. 마치 혼자가 된 느낌이었다.

"어미야~ 낫 놓고 기역 자도 모른다는 말의 뜻을 아니?

"동서~ 이렇게 하는 게 아니야!"

"너는 왜 이리 식구들과 어울리지 못하니? 신경 쓰이게끔 하지 마라. 좀!"

"아기 엄마, 애 키우면서 이것도 몰랐어요?"

모든 말이 공격적으로 들렸다. 괜히 무시하고 막 대한다고 여겼다. 신랑이 나를 막 대할 때면 친정이 가난하니까 존중하지 않는다고 여겼다. 못 배워서 주변 사람들이 함부로 대한다고 생각했다. 긍정적인 말보다 지적하거나 부정적인 말을 들으면 위축되고 피해 의식이 깊어지고 있음을 그때는 몰랐다. 그래서 남편이 더 미웠다. 구세주라 생각했는데, 내 편이 되어 줄 거라 믿었는데, 아무도 내 편이 없었다. 결혼 전이나 후나 여전히 외로웠고 슬펐고 힘들었다. 드라마에 나오는 애틋한 그런 사랑은 예전이나 지금이나 그저 허상뿐이었다. 큰애를 등에 업고 파란 물감에 하얀 구름을 그린 듯 선명하고 아름다운 하늘을 보며 구름에게 말했다.

'난 왜 이러고 있지?'

'여기는 어디고 뭐하고 있지!'

시골에서 유일한 말벗은 하늘과 잠자리뿐이었다.

"자기야~ 잘 다녀와."

"다 싫어. 미워! 죽고 싶다고."

맑은 날에 갑자기 천둥 번개 치듯 하루하루가 변화무쌍했다. 둘째를 출산한 후, 산후우울증이 왔지만 나는 모르고 있었다. 아이가 울어도 그저 바라보기만 했다. 사는 게 재미없었다. 초점 없이 풀어진 동공에는 그저 천장만이 흐릿하게 보일 뿐이었다. 남편은 아내의 변덕스러운 모습을 이해하지 못했다. 결혼하고 2년 후 분가를 했지만, 남편은 일에만 집중했다. 바쁘다는 핑계로 가정에 소홀했고, 육아와 가사는 오로지 나만의 몫이었다. 텅 빈 가슴에 뭔가가 들어오면 생채기가 났다. 사소한 말에도 가슴 깊이 새겨졌다. 이웃 간의 왕래도 싫었다. 부담스러웠다. 문득 거울을 보니 낯선 그녀가 날 쳐다보고 있다.

'넌 안 돼!'

'넌 알고 있어 네가 못났다는 걸.'

'세상엔 믿을 사람 없어.'

또 다른 내가 나를 공격했다. 사람이 이래서 미치는구나 싶었다. 마음이 공허했기에 아이가 울면 달래주기보다 화를 냈다. 어린아이 눈에서 떨어지는 눈물을 보며 가슴이 아려졌다.

'엄마가 되면 잘 키워야지. 내가 못 받은 사랑 아이한테 원 없이 줘야지. 친정엄마처럼 막 대하지 않아야지, 좋은 엄마가 될 거야!'

전에 했던 다짐은 어디 가고 아이에게 상처를 주고 있었다. 애들이 잠자고 있으면 콧물, 눈물이 입에 들어오는 줄도 모른 채 하염없이 울었다. 씻기 위해 화장실에 갔다. 부어오른 눈, 생기 없는 얼굴. 그때 벼락 맞은 듯 정신이 번쩍 들었다

"안 돼! 이러면 안 돼! 그만."

그때가 35세였다. 내 안의 공격성과 열등감을 잠재우기 위해 공부를 선택했다. 아니, 살기 위해 공부를 시작했다. 모순덩어리를 치워야 했다. 나를 위해,

아이들을 위해 그리고 가족을 위해.

그 후 대구 소재 대학교에 사회복지학 전공으로 편입을 했다. 20대 학생들과 선의의 경쟁도 하고 즐겁게 토론도 하며 캠퍼스의 낭만에 취해갔다. 우물 안의 개구리가 세상 밖으로 한걸음 내밀면서 조금씩 세상과 마주했다. 처음 대학을 다니며 바랐던 것은 뉘우침. 용서, 치유 그것뿐이었다. 스스로 만든 마음 감옥에서 당당히 석방되는 것이다.

"넌 못났어!" "넌 행복할 자격이 없어." "이번 생은 실패."라는 죄명을 삭제하고 "네 잘못이 아니다. 다시 시작하자."라는 판결문을 받는 것이었다. 그러기 위해 합당한 이유와 노력이 필요했다. 스스로 만든 감옥에서 용기와 희망을 품고 석방되는 그날을 위해. 처음 공부는 그렇게 시작했다.

사회복지학을 배우고 청소년, 어르신, 일반인들을 만나면서, 문득 각각의 마음이 궁금해졌다. 그들 중 대다수는 어려운 환경에 처해 있었으나 어떤 이는 해맑고, 희망을 품고 있었다. 또 어떤 이는 궁핍한 생활 속에서 웅크리며 은둔형처럼 세상과 외면하고 있었다. 처음 공부의 계기는 나를 위한 것이었지만, 마음이 아픈 이를 보면서 앞으로의 방향까지 생각하게 되었다. 그들을 핑계로 좀 더 공부해야겠다는 이유를 대며 대학원에 도전했다. 더 공부해야 하는 목적이 생긴 것이다.

그렇게 심리학과 대학원에 입학하기 전 학부에서의 공부는 재미있었다. 학생들과 함께 공부도 하고, 인생 선배라고 조언도 해 줬다. 그곳엔 존재감이 있었고, 신이 났다. 지금처럼 열심히 하면 좋은 성과가 나올 거라는 자신감에 겁 없이 대학원에 도전했다.

하지만 대학원은 시작부터 만만치 않았다. 입학 전부터 스터디가 시작되었다. 지도교수가 외국 저널 하나를 선택한 후 해석해서 발표하라는 미션을 내린 것이다. 뭐라고? Be 동사도 모르는데? 영어는 중학교 때부터 담쌓았는데? 발만 동동 굴렸다. 구글 영어 번역도 해 보고 고등학교 1학년 딸한테까지 문단 해석을 부탁했다. 똑같은 문장인데 오늘 해석과 어제 해석이 달랐다. 발표 날은 다가오는데 한 장을 넘기기가 힘들었다. 지금까지 힘들게 해석한 것이지만 무슨 뜻인지 도통 알 수가 없었다. 잠은 오지 않고 식은땀만 나고 또다시 짜증을 부리는 횟수가 많아졌다.

슬금슬금 잠자고 있던 자괴감, 열등감, 피해 의식이 다시 꿈틀거리며 감싸기 시작했다. 누가 뭐라고 한 것도 없는데 고질병이 재발한 것이다. 또다시 늪에 빠져 들어갔다. 심리학의 기본적인 토대가 없었기에 해석해도 의미하는 것이 무엇인지, 왜 그런 건지 해석이 되지 않았다. 무능력과 패배감은 액세서리가 되어 속마음을 더욱 후벼 팠다.

'역시나.'

'너 자신을 알고 있니? 기고만장했어.'

'다른 사람이 뭐라고 생각하겠니?'

'그만둬.'

'세상사 별거 있니?'

한동안 숨어 지냈던 부정이가 기지개를 켜며 내면 아이를 휘감았다.

결국 발표는 엉망이었다. 주어, 동사는 잘못 짚고 있었다. 설령 비슷하게 해석했다 해도 스스로가 무슨 뜻인지 몰랐다. 입학 전 나의 능력은 이렇게 드러났다. 함께 참석한 학우들에게 부끄러웠고 지도 교수의 조언에 자꾸만 작아졌다.

"심리학 공부는 어렵습니다. 젊은 학생도 버거워하고 수료생들이 많아요. 그러니 좀 더 생각해 보고 결정하시는 것이 좋을 것 같습니다."

진심어린 지도 교수님 말씀이 고맙기도 했고 속상하기도 했다. 일주일 동안 생각했다. 포기할 것인가 나아갈 것인가 입학 전에 결정해야 했다. 포기할 거면 당당하게 포기하자. 미리 겁먹고 주춤거린다면 어떤 일도 할 수 없다.

죽이 되든 밥이 되든 할 수 있는 만큼 노력한 후 그때 결정하자.

누구의 말에 포기하고 그 사람을 원망하는 건 스스로 당당하지 못하다.

비싼 인생 수강료 낸다 생각하고 가 보자!

"교수님! 저 열심히 공부하겠습니다!"

"1학기라도 해보고 결정하겠습니다."

그렇게 험난한 공부가 시작되었다.

악바리 맛으로 단련하다

석사 1학기를 마친 후 느낀 것은 영어를 못하니 남들보다 몇 배로 힘들다는 것이었다. 언어가 안 되니 진도를 나가지 못했다. 신중히 생각하고 내린 결정은 바로 한 학기를 휴학하고 영어 공부에 매진하는 것이었다. 해 보고 안 되면 그때는 정말 포기한다는 굳은 결심으로 영어학원에 등록했다.

기본도 없는 수준이라 기초 단계부터 시작했다. 먹고 자는 시간 외에는 영어 공부에만 집중했다. 일일 계획서를 작성하여 최소 하루 8시간은 공부한다는 마음으로 했다. 특별한 일을 제외하고는 복학할 때까지 악착같이 했다. 꿈에서도 영어로 말할 정도였다. 아이들이 보는 짧은 영어 동화책, 심리학 개론 원서를 매일 해석했다. 울기도 했고 화가 나기도 했다. 도통 실력이 늘지 않아 머리의 한계를 느꼈다. 그렇게 6개월 동안 성실히 영어 공부에 임했다.

그러던 와중 학원 내 미니 테스트를 쳤는데 성적이 아주 엉망이었다. 좌절감이 생겼다. 해도 해도 실력은 제자리걸음이었다. 나쁜 머리를 탓하며 무한

정 반복 학습을 했다. 학원을 가지 않는 날에는 동네 도서관에 가서 한 주 동안 배운 것을 노트에 정리했다. 나중에 나 같은 사람이 있으면 정리한 것을 주고 싶을 정도였다.

싱크대에는 포스트잇이 가득했다. 영어 단어, 잘 외워지지 않은 숙어, 심리학 용어 등 각기 다양한 영어단어와 문법 등이 적혀 있었다. 도마질하면서 단어를 외웠고, 찌개를 끓이면서 중얼중얼 단어를 내뱉곤 했다.

"엄마, 진짜 대단해."

내 아이들은 놀라움을 감추지 않았다. 앉으나 서나 영어만 했다. 워낙 기초가 없기에 주어, 동사, 형용사 등 역할이 무엇인지, to 부정사, 주요 숙어 모든 것이 새롭게 다가왔다. 친구가 놀자고 유혹을 해도 견뎠다. 일주일에 한 번은 쉬라는 속삭임도 무시했다. TV가 같이 놀자고 해도 눈길조차 주지 않았다. 오로지 영어, 영어 그것밖에 없었다. 꿈속에서는 원주민처럼 대화하고 있었다. 영어 잘하고 싶다는 절박함이 통했나 보다.

속세를 떠나 수련한 것처럼 공부했다. 잠하고 밥 먹는 것 외 집중력이 흐트러지지 않게 유혹에 빠지지 않도록 통제했다. 완벽하지 않지만, 예전에 비하면 용 됐다는 뿌듯함으로 복학 신청을 했다. 복학 신청 후 6개월 만에 다시 캠퍼스 거리를 걸었다. 대학원에 입학할 때만 해도 뭣 모르고 기뻤던 마음이 '다시 나는 지옥문에 들어가는구나. 그러나 견뎌 낼 거야.'라는 굳은 다짐으로 바뀌었다. 학교 풍경도 아름답기보다 압박감으로 밀려왔고 네가 이기나 내가 이기나 식으로 도전 의식으로 변해 있었다.

복학 후 수업에서 심리검사 발표 순서를 정했다. 속도가 느리기 때문에 중간 정도의 챕터를 선택했다. 원서 책은 두껍기도 했고 발표 분량이 많았다. 그까짓 것 해 보자! 라며 자신감을 느끼고 시작했다. 이전과 비교하면 속도감과

정확도는 높아졌지만, 영어의 장벽은 높았다. 해석 잘하는 학우의 도움을 받아 가며 완성을 했다.

교수님 옆에 앉아 원서를 해석한 부분을 읽었다. 처음엔 원만히 통과하는 듯했으나 심리학 용어인 명사 단어를 잘 못 읽었다. 몇몇 학우들은 웃었다. 그 순간 심장이 멈춘 듯 숨을 쉴 수 없었다. 얼굴은 빨개지고 입이 말랐고, 목소리가 나오지 않아 침만 삼켰다. 그냥 일어나 집에 가고 싶었다. 하지만 꾹 참고 마음을 정리하고 있을 때 교수님이 보충 설명해 주시면서 분위기를 이끌어갔다. 웃었던 학우들이 미안했던지 더는 웃지 않고 가만히 듣고 있었다.

수업을 마치고 지하철을 타면서 책들이 눈에 들어오지 않았다. 조카뻘에 창피당한 것도 속상했고 지도교수님이 이전에 했던 말씀도 떠오르면서 자신을 공격하기 시작했다.

'영어, 그렇게 열심히 해도 제대로 못 했잖아. 돌대가리. 무엇을 위해 이렇게 몸 상하면서까지 하니? 어떻게 할 거니? 자존심이 상하면서까지.'

여러 감정이 휘감았다. 두통이 왔다. 속이 울렁거렸다. 눈에는 눈물이 흐르고 있었다. 저녁 준비할 힘도 없었다. 집에 도착하자마자 침대에 들어가 누웠다. 생각이 많을 때면 잠을 잤다. 아이들이 마음을 알았는지 깨우지 않았다. 하지만 이내 배도 고프고 아이들 밥을 챙겨줘야 해서 부엌으로 갔다. 밥 먹은 흔적이 있는 것을 보아 저녁을 알아서 해결한 모양이다. 내심 고마운 마음이 들었다. 내 편이 있고 마음 알아주는 사람이 있다는 게 힘이 되었다. 첫째가 조심히 물었다.

"엄마, 오늘 무슨 일 있었어?"

"엄마가 휴학하면서 열심히 영어 공부했는데도 불구하고 오늘 해석을 잘 못 해서 창피했어."

"엄마, 영어는 하루아침에 잘되지 않는 거 알잖아."

"알긴 아는데 그래도 열심히 했던 욕심이……."

딸하고 대화하면서 다시 상황을 정리해봤다.

'영어 단어를 잘 못 읽은 건 상황이고.'

'그 분위기에서 내가 속상하고 수치심이 느낀 건 감정이다'

이렇게 하나하나 마음 퍼즐 조각을 분리했다. 상황은 객관적인 관점에서 감정은 주관적인 관점에서 바라봤다.

'물론 그때 상황에서는 부끄러운 건 사실이다. 하지만 모든 것이 엉망이었나? 그건 아니다.'

그래. 그거면 됐다. 완벽하진 않지만 성실하게 한 것에는 박수를 보내자. 자신을 격려해주지 못할망정 기죽고 위축이 되었구나! 라는 마음이 들면서 위로가 되었다.

중학교 체육 시간에 철봉 오래 매달리기를 끝내주게 잘했던 기억이 떠올랐고, 이를 악물고 안 떨어지려고 매달렸던 악바리 근성이 슬금슬금 올라왔다.

'그래, 다시 시작하자!'

'자신에게 부끄럽지 않게 성실히 임하자.'

석사 공부는 전문지식을 익히는 시간이기도 했지만, 악바리 근성이 단련되는 시간이기도 했다. 20대 학우들은 정규 수업과 정규 코스로 밟아 온 과정이지만 난 그렇지 않다. 중학교 때부터 공부에 흥미가 없었다. 고등학교에 올라와서는 영어, 수학은 일찍 포기했던 과목이었다. 그래서 더 많은 시간이 필요했고 노력해야 했다.

세부 전공 스터디에서도 원서 저널로 발표를 해야 했다. 물론 엉망이었다. 어설픈 해석은 계속되었고 적절히 답변도 못 했다. 그런데도 견디고 버티며 공부했다. 대충해도 될 것도 최선을 다해 리포트를 작성했다. 하나를 수정하라면 몇 개를 더 고치고 다듬었다. 매주 제출해야 하는 것도 빠지지 않았다. 또다른 만학도들을 위해 좋은 인식을 심어주고 싶었다. 그래야 될 것 같다는 의무감이 느껴졌다. 학교에서는 같은 또래가 없었기에 말벗도 없었다. 주눅 들고 의기소침한 날이면 혼자 벤치에 앉아 파란 하늘과 잠자리랑 대화를 나눴다. 시골에서 대화를 나누던 그때 그 시절처럼 외로움과 고독감을 씹었다.

　공부하며 언제부턴가 마음 굳은살이 생기기 시작했던 거 같다. 지금도 영어를 보면 울렁증이 생긴다. 한글도 이해 못하는데 영어는 더욱 더 힘들다. 하지만 영어가 그리 두렵지 않다. 관광 안내문에 영어로 적혀 있는 문장을 보면서 어느 정도 독해가 가능한 것을 보면 뿌듯했다. 힘든 과정을 겪으면서 실력도 늘었고 웬만한 것에는 끄떡없이 넘어가게 되었다. 얼마나 고마운 일인가!

　열심히 했는데도 잘되지 않을 때가 있지요?
　전 아주 많아요. 어떻게 했느냐고요? 그냥 했습니다.
　몰라도 아는 척, 기죽기 싫어 요청하지 않는 행동은 오히려 손해였습니다. 실수하면서 알아가고, 넘어지면서 빨리 일어나는 것. 횟수만큼 면역도 생기는 법입니다. 힘든 상황에서 자신을 믿는 것 그리고 다시 시도하는 용기 그것만으로 아름답습니다.

따뜻한 칼국수 한 그릇

산 넘어 산이라고 우여곡절 끝에 대학원을 졸업했다. 힘들게 공부했기에 사회에 나가면 인정을 받을 줄 알았다. 집에서도 큰소리를 치며 이제 역량 펼칠 날만 남았다고 어깨에 힘을 주며 이력서를 냈다. '일반대학원 심리학과 석사' 나름의 자부심도 있었다. 그러나 사회는 그 타이틀이 그리 중요한 사항이 아니었다. 무엇을 전공했는가보다는 자격증이 있는가? 가 우선이었다. 자격증이란 학부 때 취득한 사회복지사 1급, 평생교육사 2급 외는 없었다. 전문 심리상담사 자격증은 공부에 집중하다 보니 취득하지 못했다. 입사지원서를 내면 1차 서류전형은 통과되나, 경력, 자격증에서 밀렸다.

"왜 하는 일마다 한 번에 되는 것이 없지?

"누구는 쉽게 하는 거 같은데 나는 왜 술술 풀리지 않는 거야?"

"어렵게 공부한 결과가 이거니?"

"편하게 공부하고 자격증이나 딸 걸."

"정말 어리석은 거 같아."

몇 번의 입사 탈락은 허탈감을 느끼게 했다. 식구들에게는 인재를 몰라본다는 등 허풍을 떨었다. 늦은 밤 애들이 잠이 들면 안방에 들어갔다. 침대 모퉁이에 앉아 멍을 때렸다. 계속 흐르는 눈물, 입을 막으며 휴지로 닦았다. 꺽꺽 소리를 행여나 애들이 들을까 이불 속으로 들어갔다. 따뜻한 온기와 편안한 이곳은 그저 숨어서 울 수 있는 그런 공간이었다. 실컷 울었으니 마음이 가벼워졌다. 힘이 났다.

'그래, 다시 시작하자. 난 오뚝이잖아! 힘든 영어도 했는데 그까짓 거 한글인데 뭐.'

다시 계획을 짰다. 우선순위별 바로 실행할 수 있는 것부터 적어봤다. 경력을 인정받기 위해선 사설 상담센터 연구원부터 시작하자. 국가자격증과 학회자격증 시험 일정을 보고 공부 시간을 확보하자. 지금은 일자리가 절실했고 막연히 신세한탄만 하면서 시간을 보낼 수 없었다. 일하고 싶고 돈도 벌고 싶었다. 무엇보다 아이들에게 당당한 모습을 보여줘야 했다. 결과보다 과정에서의 진지함. 포기하지 않는 인내. 힘든 과정을 어떻게 헤쳐나가는지 말보다 행동으로 아이에게 전하고 싶었다. 궁극적으로 자식들에게 멋진 모델링이 되어주고 싶었다. 하지만 신은 더 강해지기를 원했는지, 이후 치른 자격증 시험에 줄줄이 낙방했다. 1~2점 차이로 떨어졌다. 1년 동안 간간이 프리 상담을 제외하고 모든 에너지를 공부에 쏟았다. 평균적으로 5시간 이상 공부에만 매달렸다.

그러나 결과는 불합격. 의욕이 사라지고 식욕도 느끼지 못했다. 사람을 만나도 재미가 없었다. 초점 없는 눈으로 드라마를 봤지만, 윙윙 소리만 들릴 뿐이었다. 의욕 상실에 미래가 막막했지만, 희망의 끈은 놓지 않았다. 사설 상담센터 연구원일 때 알게 된 분이 어느 날 전화가 왔다. 그분은 늘 웃으면서 할 말은 다 하시는 분이셨고, 사람 좋다는 평판이 자자한 외유내강 같은 분이셨다.

"윤쌤~ 1년 과정 사진 치료가 있는데 같이 들을래요? 수강료는 좀 비싼데 내가 선생님 사정 잘 이야기해볼게요"

내심 끌리지는 않았지만 좋아하는 선생님이라 그리하겠다고 응답했다.

사진 치료 교육을 시작한 지 몇 달이 지났을 때였다. 그 선생님은 나와 대화하면서 눈빛, 표정, 그리고 행동을 유심히 관찰하셨다.

"윤쌤~ 시간 괜찮으면 배고픈데 칼국수 같이 먹어줄래요?"

"네~ 그래요. 선생님. 마침 저도 먹고 싶었는데 잘됐네요."

칼국수 식당에 가서 주문하고 이런저런 이야기를 나눴다. 특별한 주제를 나누지도 않았다. 오늘 배운 것들을 나누는 동안 따뜻한 칼국수가 왔다.

"윤쌤 힘들지요. 많이 드세요. 저가 꼭 칼국수 사 주고 싶었어요."

'힘들지요' 그 단어가 꽂혔다. 따뜻한 눈물이 볼을 지나 턱에 고였다. 한 방울 한 방울이 떨어져 테이블에 고일 때까지 기다려줬다. 금방 끓인 칼국수는 기다림에 지쳤는지 팅팅 불어 있었다. 언제 울었냐는 듯 맹맹한 목소리로 말했다.

"선생님, 잘 먹을게요."

"그래요, 윤쌤 나도 잘 먹을게요."

어떤 이유도 어떤 말도 나누지 않은 채 칼국수를 먹었다. 세상에서 가장 맛있었다. 그때 알았다. 상담은 마음과 마음으로 나누는 것임을.

다짐했다. 마음이 고달픈 사람에게 칼국수 한 그릇 같은 상담사가 되겠다는 방향성이 생겼다. 지금도 그분은 큰 힘을 주신다. 너무 친해져서 언니처럼 칭찬과 지적을 해 주시고 엄마처럼 따뜻하게 감싸준다. 이런 분이 있다는 것에 감사하다.

그래, 결심했어! 다시 한번 해 보자. 내 인생에 단번에 된 적이 있었나? 공부 더 하라는 뜻이겠지. '오기'는 내 친구니깐. 친구야! 우리 잘 지내보자. 우린 절친한 친구이잖아.

프리 상담이 끝나면 집안일을 했다. 어떤 것이든 소홀히 하고 싶지 않았다. 애들이 오면 하루 있었던 이야기도 나누고 맛있는 저녁을 준비해서 먹었다. 엄마의 역할이 마무리될 때쯤에 심호흡한 후 책상에 앉았다. 식탁이 책상이고 주방은 공부방이다. 최소 4시간 이상은 공부하고 잔다는 목표하에 열심히 했다. 오답 노트, 요점정리 등을 만들었다. 후에 예비 심리상담사를 꿈꾸며 공부할 누군가에게 필요할 거 같아서였다. 코피와 커피가 어울려 힘들 때도 있었지만 그래도 우직하게 공부했다. 석사 졸업 후 2년 만에 모든 자격증을 취득했다. 국가자격증 2개(청소년 상담사, 임상심리사), 학회 1개(상담심리사). 그 외의 상담과 관련된 검사 워크숍을 참석하고 강사 자격증까지 취득하며 열심히 달렸다. 모든 자격증을 취득한 후 나 자신에게 기특하다고 열심히 달렸다고 애썼다고 다독여줬다.

"우리 엄마, 최고! 멋져."

"너희는 엄마가 공부하는 것만큼 공부하면 서울대학교에 간다."

"당신 이제 서울대학교 도전 OK?"

가족들은 절실하게 노력한 모습을 지켜봤기에 인정해줬다. 가족들이 인정해 줄 때 모든 것이 보상되었다. 이제 좀 더 많은 이들을 만나 성심을 다하자. 칼국수 한 그릇 같은 심리상담사가 되자. 마음이 고픈 이에게 따뜻한 한 끼와 같이 마음 배를 채우고 힘낼 수 있게 하자. 지금까지 힘든 고비, 과정은 분명히 어떤 의미가 있을 것이다. 분명히!

나는 요리하는 걸 좋아한다. 어린 새댁이었던 시절 모든 요리를 시어머님께 배웠다. 시어머님은 요리를 잘하신다. 특별한 재료가 들어가지 않는데도 맛있다. 간장, 엿, 마늘, 참기름. 흔히 사용하는 것들이지만 완성된 요리에서 맛깔이 난다. 손맛이 다른 걸까? 똑같은 재료인데 맛이 왜 이리 차이가 날까? 지금에서 보니 재료의 비율, 순서 그리고 손맛과 경험이었다. 그랬다. 친정엄마가 끓여 주신 칼국수, 시어머니가 끓여주신 칼국수. 모양새도 다르고 맛도 다르다. 무엇을 넣는가? 어떤 방법으로 요리하는가? 에 따라 확연히 달라진다.

똑같은 재료로 칼국수를 만들어도 제각각 맛이 다르다. 썬 모양도 가지각색이다. 우리 인생도 그렇다. 각자 살아온 삶이 다르고 과정도 같지 않다. 무엇을 보느냐 어떻게 해석하느냐에 따라 인생 요리법이 작동한다. 보고 싶은 것만 보고 보기 싫은 건 외면한 채 우리의 기억 냉장고엔 변형된 재료가 들어있지 않는지 살펴봐야 한다. 유통기간 지났는지, 재료가 섞지 않았는지 점검해야 한다. 변형된 재료가 많을수록 고유의 맛이 떨어진다. 맛있는 요리의 첫 단계는 싱싱한 재료다. 그것을 모르는 사람은 없다. 하지만 가장 기본적인 것을 놓친다. 맛이 없으면 MSG 넣으면 완성될 거라 믿는다. 하지만 MSG에 의지하기보다는 재료 고유의 맛을 내는 것이 우선이 아닐까? 처음부터 잘하는 건 없다. 맛 내기도 어렵다. 자꾸 해봐야 요령도 생긴다. 인생 요리도 그렇다. 해봐야 하고, 실패해 봐야 한다. 그래야 다음에 성공률이 높다.

오늘의 인생 요리는 버티기입니다.

주재료: 기다림

부재료: 믿음 1 큰 술, 용기 덮기, 단호함 1작은 술, 투덜이 1작은 술, 인내심 기름 넉넉히

〈요리 순서〉

1. 기다림과 믿음을 넣고 잘 문질러 줍니다. 잘 숙성될 수 있게 용기로 덮어줍니다.

2. 1번이 숙성되는 과정에서 단호함 1작은 술 넣습니다.

3. 인내심 기름을 넉넉히 두른 후 잘 숙성된 2번 재료를 넣은 다음 마지막에 투덜이를 잘게 부수어서 뿌려줍니다. 투덜이를 첨가해야 감칠맛이 납니다.

4. 앞뒤가 잘 구워지면 버티기 요리 완성

하다 보면 실패도 한다. 힘들 땐 투덜이랑 욕도 하고, 기가 죽을 땐 맛있는 거 먹고 '그까짓 것'하며 걷자. 걷다 보면 어느새 도달해 있을 것이다.

당신에게 가장 힘이 되어준 음식은 무엇인가요?

벌레 먹은 재료

지금도 목욕탕에 가면 탈의실 위치부터 살핀다. 그리고 왼쪽에 사람이 있으면 자리를 피한다. 한가운데보다 모퉁이나 구석진 자리에서 옷을 벗는다. 아무도 내 몸에 관심을 두지 않지만, 아직도 시선 받는 것이 익숙지 않다. 어릴 적에 상처 낸 자국이 반점으로 남아있다. 성장하면서 그 흔적은 넓어졌다. 살고자 저지른 징표는 세월이 흘러도 옅어지기보다 확장되어 뚜렷해졌다. 아직도 상처 자국의 표시는 수용되지 못한 채 숨기기에 급급했다.

기억나지 않지만, 큰오빠가 어릴 적에는 집안 형편이 부유했다. 큰오빠가 침대에서 유치원 모자를 쓰고 찍은 60년대 흑백사진이 그걸 증명했다. 아빠가 직업군인을 그만두고 사업을 시작하기 전까지는 그랬다. 그러다 사기를 당해 모든 재산이 날아간 후, 엄마는 가족을 위해 공장에서 일했다. 야근하면 나오는 빵도 당신이 먹지 않고 자식들에게 주었다. 월급날이면 부엌 바닥에 앉아 몇만 원씩 가로, 세로로 돈을 쌓았다. 그리고는 겨우 몇 장의 돈이 엄마 손에 쥐어 있었다. 엄마의 한숨 소리와 눈물 닦는 모습을 매달 지켜봐야 했다. 그때는 그것이 무엇을 뜻하는지 알지 못한 채, 사탕을 사달라고 언제 말할까 하며 눈치만 살폈다.

"엄마. 나 사탕 사 줘."

"돈 없어."

"거짓말 엄마 돈 있잖아, 여기."

"돈 없다고 했지!"

"거짓말! 엄마 맨날 거짓말만 하고."

"시끄러워!"

"엄마, 미워."

그땐 몰랐다. 어린아이 눈앞엔 돈이 많은데 맨 날 돈이 없다고 아무것도 안 사주는 엄마가 미웠다. 우리 집에서 돈을 버는 사람은 엄마밖에 없었기에, 월급날이면 아빠도 떼를 썼다. 돈 달라고 당신 쓸 돈이 필요하다고. 엄마의 월급은 눈 깜짝할 사이에 사라졌다. 아직 한 달이 남았는데.

어느 날, 일찍 귀가한 엄마 손에 붕대가 감싸있었다. 엄마는 이불을 깔고 누웠다. 그리고 엉엉 우셨다. 난 그저 어떻게 해야 할지 몰라 마당에 앉아 아빠가 올 때까지 기다려야 했다.

이윽고 아빠가 도착해 엄마에게 물었다.

"무슨 일이고?"

"아이고. 내 팔자야! 내 팔자!"

"와! 와 그라는데?"

"내 일하다 손가락 절단됐다. 나 병신됐다."

그랬다. 엄마는 공장에서 일하시다 중지 첫째 마디 부분이 절단되어 집에 온 것이다. 아빠와 엄마 대화 속에 큰소리가 오갔다. 그 시각엔 언니 오빠도 없었다. 추웠지만 그냥 그렇게 저녁 때까지 차가운 마룻바닥에 앉아서 기다려야 했다. 어린 나는 엄마가 아프다는 말이 무서웠다.

'엄마가 우리 놔두고 몰래 도망가면 어떻게 되지?

'엄마 죽는 거 아니야? 그럼 나 어떻게 되는 거야?'

'아빠랑 살기 싫어. 아빠 싫어.'

무릎을 세운 체 얼굴을 묻고 울었다. 당신은 방에서 나는 밖에서.

늘 혼자였다. 어머니는 일하러 가고 아버지는 부동산 직원으로 시간을 보냈다. 오빠, 언니는 학교 마치면 친구들과 놀고 저녁쯤에 들어왔다. 나에게 유일한 벗이자 장난감은 종이 인형뿐이었다. 몇 개 안 되는 종이 인형으로 공주도 되었고, 마술사도 되었다. 종이 인형은 비밀을 공유하며 지내는 친구였다. 학령기 전에는 친구와 어울리며 지낸 경험이 적었고, 기본적인 학습도 못 한 채 초등학교에 입학했다. 학교에 입학하고 나서도 눈치만 살폈다. 긴장하면 말도 더듬었다. 누가 큰소리를 치면 무서워 도망가기 일쑤였다. 학교 준비물 살 돈이 없어 선생님께 혼나고, 친구들이 놀려도 그냥 가만히 있었다. 남자아이가 머리를 세게 잡아당기면 울기만 했다. 너무 속상한 날에 엄마한테 말하면 위로가 아닌 꾸중을 들어야 했다. 그래서 아무 말을 하지 않았다. 그저 당하는 대로 있고 아무 말이 없는 그런 아이였다. 어디에도 내 편 하나 없다는 생각에 죽고 싶었다. 학교에서나 집에서나 재미와 흥미를 느끼지 못했다. 혼자 집에 있었기 때문에 용기만 있으면 죽을 수 있었다. 그렇게 조금씩 죽기 위해 준비하고 있었다.

그러다 초등학교 4학년 2학기 때 전학을 했다. 전학을 오면서 몇 반에 배정

받았는지 알기 위해 교무실로 갔다. 새 담임선생님은 생활기록부를 보며 한숨을 쉬며 혼자 중얼거렸다지만 그 말을 들어야 했다.

"안 그래도 애들 많은데, 공부 잘하는 애도 아니고"

성적 나쁜 애, 가난한 애 그런 등급으로 새 학기를 맞이해야 했다. 선생님은 전학 왔다고 크게 관심을 두거나 챙겨주지 않았다. 같은 반 애들이 호기심으로 다가와도 웅크리고 있었다. 공부도 못했고 말도 더듬고 말귀도 못 알아들어 몇 번을 다시 왔다 갔다 해야 했다. 그렇게 언제부터가 왕따가 되었다. 집에서도 혼자. 학교에서도 혼자. 언제나 혼자.

첫 자살 시도를 했다. 칼날이 날카로워 보였다. 누가 오기 전에 해야 했다. 그때 내 나이 11세였다. 명치에 칼을 대고 심호흡을 했다.

'잠깐만 아플 거야. 괜찮아'

칼 손잡이를 밀었다. 조금씩 깊어지는 피부를 보니 무섭고 아팠다. 누가 날 좀 말려주세요!

뭔가 찌릿했다. 아팠다. 못하겠다. 더는 못하겠다. 칼을 던져버리고 이불을 뒤집어쓰고 울었다. 어느 누가 방금 무엇을 했는지 아무도 모른다. 눈이 팅팅 부어있었지만 왜 울었는지 물어보는 식구는 아무도 없었다.

어느덧 예고와 붙어있는 중학교에 배정을 받았다. 등교할 때면 예고에서 들리는 음악, 언니들의 춤사위를 볼 수 있었다. 해맑게 웃고 있는 언니들의 표정을 볼 때면 같이 행복했다. 희망이 없던 아이가 꿈이 생겼다. '발레리나' 내 안의 다양한 모습을 발레로 표현한다면 너무나 아름다울 것 같았다. 수업 중에도 발레 하는 모습을 상상하는 게 즐거웠다.

"아빠, 나 발레하고 싶어."

"뭐라고?"

"발레, 꼭 하고 싶어."

"시끄럽다."

"엄마, 나 발레 시켜줘."

"아이고야, 넌 생각이 있니? 우리 형편에 뭐 발레? 언제 철들래!"

이렇게 또다시 꿈은 사라져버렸다. 잠깐의 행복은 사라졌다. 모든 것을 포기했다.

다리 사이엔 하염없이 피가 흘러내렸다. 남아있는 혈이 모두 빠져나올 것처럼. 그저 가만히 있었다. 영혼이 없는 육체는 그저 숨만 쉬는 빈 껍데기였다. 천장이 빙글빙글 돌았다. '엄마, 엄마' 속으로 만 외친 채 잠이 왔다. 눈을 떠보니 병원이었다. 어린 소녀가 하혈로 병원에 누워있었다. 신장 156cm에 몸무게는 36kg. 세상 밖으로 나오는 것이 두려웠다. 그냥 혼자 집에 있는 것이 편했다. 큰오빠는 객지 생활에, 언니는 학업을 위해 영주로 갔고, 작은오빠는 방황했다.

왕따, 학습부진, 가난, 학대 속에서 청소년기를 보냈다. 모가 많이 난 채 성장기를 보냈다. 가난이 부끄러워 친구들에게 있는 척, 잘난 척했다. 친구와 같이 있을 때 엄마가 공장 버스 내리는 걸 목격하면 아는 척하지 않았다. 부끄러웠다. 무기력했다. 공부도 재미없고 그냥 잠만 잤다. 집에 오면 자고 밤에 자고 학교에서도 잤다.

누가 아무 뜻 없이 한 말에도 나를 무시한다고 생각했다. 지적받을 때는 내가 못나서 그렇다고 단정지었다. 누구라도 잡고 싸울 기세였다.

성장기는 희망이 없었고 세상이 부정적이었다. 그랬던 소녀가 지금은 심리상담사가 되어 마음이 힘든 청소년, 성인들을 만난다. 나름 자신이 견디기 위해 했던 행동들이 그때는 그럴 수밖에 없었기에, 옳은 것 같았기에 지금 청소년들의 행동을 보면 마음으로 다가갔다. 그 어떤 훌륭한 이론보다 강력한 것은 마음과 마음의 접촉임을 절실히 알고 있었다.

새벽 서리 맞은 모과 향은 깊습니다. 일교차가 클수록 과일 당도가 높습니다. 험난한 삶의 고됨은 사형수가 발끝의 의자가 치워지면 어떻게 되는지 아는 것처럼 아찔합니다. 왜! 나만 힘드냐고, 다들 잘 먹고 잘사는데 왜 이러냐고! 울부짖고 싶을 때가 있습니다. 억울합니다. 희망, 사랑은 사치입니다. 그런데요. 우선 나를 잘 보살피는 것부터 해요. 괜찮습니다. 시원한 물 한 잔에 마시고 "캬~ 물맛 좋다"소리 내고 쉬엄쉬엄 갑시다. 100세 인생인데 뭐가 급합니까? 이거저거 돌아보기도 하고 쉬기도 하면서 천천히 가요. 삶이 강렬할수록 내공은 깊어지고 있습니다.

나만의 요리법 만들기

심리상담사 수련 중 심리학 박사님이 진행하는 부모교육 집단프로그램의 보조자로 합류했던 적이 있다. 집단 리더가 집단교육을 어떻게 진행하는지 배울 좋은 기회였다. 일지 작성과 각 집단원의 행동 관찰을 세세히 기록해야 하는 역할이지만 얼마나 값진 경험인가?

첫 보조자로서 집단교육이 진행되었다. 여러 어머님이 참가하고 양육에 관한 올바른 부모 역할은 무엇인지 배울 수 있는 프로그램이었다. 심리학 박사님은 부모가 해야 하는 역할을 두루뭉술하게 풀어내기보다는 이유와 근거를 바탕으로 실생활에 접목해 진행했다. 흔들리지 않는 태도와 말투, 전문가다운 풍부한 지식 그리고 특유의 웃음소리 등 모든 게 완벽했다.

'난 언제 이런 모습이 될까?'

'어떤 질문이든 막힘없이 능수능란하게 답변할까?'

'진행하기도 바쁠 텐데 집단원의 특징을 어떻게 빨리 파악할까?'

모든 게 부러움 그 자체였다.

몇 달이 지난 후 집단 리더가 되어 부모교육 프로그램을 맡게 되었다. 불안감과 호기심이 뒤섞었다.

"안녕하세요~ 어머님. 이번에 집단프로그램을 진행할 윤 귀연입니다"

소개가 끝난 후 본격적인 집단교육은 시작되었다. 각 집단 구성원 특징도 파악해야 했고, 회기 목표 달성을 위해 진행해야 했다. 정신없이 했다는 것 외에는 기억이 나지 않았다. 회기가 끝나면 무엇이 좋았고 어떤 부분이 미흡했는지 객관적으로 보려고 노력했다. 첫 집단교육 상담을 마무리하면서 '해냈다'라는 안도감과 '나도 할 수 있다'는 자신감을 얻었다.

첫 집단교육 프로그램을 시작으로 몇 차례 집단프로그램을 진행했다. 하지만 진행 과정에서 고민이 생겼다. 심리학 박사님의 진행 방식은 일정한 톤과 중저음은 듣는 측면에서 보면 집중이 잘 되었다. 관찰력과 경청을 통해 핵심적인 단어를 짚어내고 고민을 풀어내는 모습은 프로 그 자체였다. 하지만 난 달랐다. 뒤죽박죽 톤과 엄마가 아이에게 대화하는 톤의 소리로 재연을 하며 진행했다. 예시를 들며 실생활과 비슷한 설정을 바탕으로 풀어갔다. 그렇게 하면 된다고 생각했고 잘하고 있다고 생각했다.

집단 리더로서 프로그램을 진행하고 있는 와중에, 박사 선생님이 집단 보조자로 합류할 수 있느냐는 제의를 하였고 흔쾌히 하겠다고 했다. 예전이나 지금이나 차분한 말투와 전문지식은 변함없었다.

서울 쥐와 시골 쥐가 있었습니다. 서울 쥐는 멋스럽고 우아했습니다. 서울 쥐는 자기가 사는 곳은 높은 빌딩과 맛난 음식들이 가득하다고 했습니다. 시골 쥐는 부러웠습니다. 자신이 갑자기 초라해 보였고 어제까지 맛있게 먹었던 음식은 초라해 보였습니다.

지금의 모습이 꼭 시골 쥐 같았다. 없어 보였다. 고상하게 말도 못 하고 풍부한 지식도 없는 것 같았다. 신나고 즐거웠던 자신감이 하락했다. 캐릭터가 있어야 한다! 잘하는 것은 무엇인가? 다시 원점으로 돌아가 분석하기 시작했다. 인기 있는 강사 동영상과 대학교수가 강의한 동영상 등을 보면서 비교했다. 유명한 강사의 동영상을 보면 실생활에서 충분히 일어날 수 있는 것들을 쉽게 그리고 유머로 풀어갔다. 재미와 메시지가 잘 혼합되어 보는 내내 재미있었다. 대학교수가 강의한 것은 깊이는 있었으나 대체로 재미는 떨어졌다. 그래! 일화가 많으니까 적재적소에 첨가물을 넣어 맛을 내고, 전달할 내용은 진중하게 전달하자. 남의 떡이 커 보이지만 남들도 내 떡을 보면 커 보이지 않을까? 강불, 중불, 약불. 그리고 뜸을 들이면서 하자. 하다 보면 탈 수도 있고, 설익는 맛도 날 수 있겠지만 그까짓 거 해 보는 거다.

새로운 방식에 도전하고 내 것으로 만들기 위해 초. 중. 고등학생뿐만 아니라 대학생, 부모, 부부까지 집단프로그램을 진행했다. 때때로 재료가 너무 많아 무슨 맛인지 알 수 없었던 경험도 있었고, 너무 밋밋해 재미없었던 적도 있었다. 그렇게 하나씩 배우고 나만의 요리법을 만들어갔다. 집단프로그램이 끝나면 만족도 평가를 받는다. 대부분 좋은 평가를 받으나 아직은 갈 길이 멀었다.

시골 쥐는 서울 쥐와 함께 도시로 갔습니다.
맛있는 음식, 화려한 조명 속에 정신이 없었습니다.
이곳은 천국이었습니다.
맛난 음식이 가득했고, 보지도 못한 것들이 주변에 가득했습니다.

그러나 그런 마음은 오래가지 못했습니다.
쫓기며 바쁘게 살아야 하는 이곳에는
마음의 여유를 부릴 수 없었습니다.
시골 쥐는 결정했습니다.
비록 화려하지 않지만 친근한 시골이
내가 살아야 할 곳임을

모임 장소에 가면 필수 코스로 자기소개하는 시간을 갖는다.

"저는 ○○○이라 합니다. 직업은 ○○이고~~"

대부분 '직업 = 나'로 표현될 때 아쉬움이 남았다. 자신을 직업으로 한정되는 것이 안타까웠다. 자신만의 색깔, 맛을 표현하는 것이 자기소개가 아닌가?

"사람에 대한 호기심이 많고 가슴이 뜨거운 사람입니다. 다양한 분과의 만남은 늘 새롭고 기대감이 큽니다."라고 말한다. 직업을 말하지 않으니 대부분 직업이 없는 줄 안다. 모임에는 목적이 있다. 인적 네트워크를 위한 만남, 지적 향상을 위한 모임 등도 있고, 그저 사람이 좋아 만나는 집단도 있다. 그러나 의례적인 행위 중 하나가 명함 돌리기다. 난 명함이 없다. 내 자체가 명함인 데 작은 종이로 표현되는 것이 싫다.

저는 명함이 없습니다. 저라는 사람이 명함입니다.

남들이 살아온 방식대로 따라가지 마세요. 삐딱하게 가라는 말이 아닙니다. 이전에 살아온 방식들은 그 시대의 흐름과 특징이 있습니다. 80년대의 초등학교 시절 여자는 얌전해야 하고 남자처럼 행동하면 팔자가 세다는 등 아름다운 여성상에 묶어 놨습니다. 지금은 어떤가요? 지금도 그런 생각 드세요? 과거. 현재. 미래의 장기적인 계획을 세우고 죽을 때까지 나를 이끌어 줄 사람이 있을까요? 없습니다. 부모님이요? 걱정이지요. 염려지요. 20대 도전하라, 30대 성공하라, 40대 인생을 다시 점검하라. 50대 인생을 즐겨라. 60대는 70대는 각 연령대로 이러라 합니다. 어찌된 것이 가만 놔주지 않습니다. 잠시도 쉬지 못하게 합니다. 이 정도는 보여줘야지 식의 생에 많은 시간을 투자하지 마세요. 내 인생의 주인장은 바로 '나야 나!' 인생이라는 게 좋을 때도 있고 힘들 때도 있습니다. 이게 인생의 맛이 아닙니까? 지금부터 본인의 인생 요리법을 만들어 보세요. 제법 재미있을 것입니다. 도전!!

그릇 점검부터

혼수품으로 가져온 그릇을 지금도 사용하고 있다. 손때도 묻고 추억도 담긴 23년산이라 제짝이 없다. 깨지면 새로운 것을 샀더니 가지각색이다. 남편은 깔끔하고 단아한 것을 좋아한다. 여러 디자인의 그릇을 볼 때마다 잔소리한다.

"이거 다 버려라."

"왜?"

"보기 싫다. 그릇 싹 정리 좀 해."

"예쁘기만 한데."

"내가 버리라고 몇 번을 말했어? 내 말은 참 안 듣는다."

커피 받침이 예쁘면 과자도 담고 과일도 썰어 담는다. 그걸 보면 남편은 질색한다.

"과일을 왜 이곳에 담아와?"

"예뻐서 담아봤어. 괜찮지."

무던한 남편이지만 그릇만큼은 잔소리꾼이다.

세월과 함께 한 그릇은 추억거리도 함께 담겨있다. 이 그릇은 우리 아이 이유식 먹었던 건데, 저것은 친정엄마가 선물로 준 건데 등등 그릇 자체만의 의미를 갖지 않는다. 때때로 버리고 싶은 그릇도 있지만, 그릇 그 자체가 많은 것을 담고 있다.

세월이 지나면 버려야 할 것과 써야 할 그릇들을 점검할 필요가 있다. 우리의 인생 그릇도 그렇다. 어떤 의미든 간에 버려야 할 것은 깨트려야 한다.

내 안에는 수많은 '나'가 있다. 때론 과감하고 때론 소심하듯 여러 모양의 성격 그릇이 있다. 작은 그릇, 흠난 그릇, 종기 그릇, 뚝배기 등 필요할 때마다 사용되기도 하고 들쑥날쑥 예상치 못한 그릇도 나온다. 그릇 하나가 완성되는데 많은 과정이 있듯이 우리 성격도 그렇다. 원래 내 마음 그릇은 뚝배기 그릇인데 스테인리스 그릇으로 착각했다. 깨지고 금이 간 줄도 모른 체 제 역할을 못 한다고 채찍질했다. 자신을 돌보지 못한 채 마구 사용하다, 다치고 아팠다. 자책하고 우울했다. 그릇 용도에 맞게 사용하면 더 빛이 나는 것임에도 불구하고 재촉하기 바빴다.

나는 빠른 열을 흡수하는 스테인리스 그릇이 아니라 발화점도 늦고 속도가 느린 뚝배기 그릇이다. 늦지만 오래간다. 석사 공부할 때는 이해력이 늦었고, 서술시험도 뭔가 부족한 체 제출했다. 박사 공부도 그렇다. 스테인리스가 되려고 무지 애썼다. 아니 악썼다. 흉내를 내다 갑상샘 진단을 받기도 했다. 그릇에 금이 가서 제 역할을 하지 못한다는 신호가 오면 준비를 한다.

샤워한 후 이불을 덮고 편안히 눕는다. 그리고 들숨, 날숨을 쉬며 집중을 한다. 그런 다음 연상한다. 머리를 쓰다듬어 준다. 고생하고 있다고. 애쓰고 있다고. 다 알고 있다고 위로한다. 괜찮다고 곧 지나간다고 해 준다. 마음이 가라앉으면 발가락부터 머리까지 천천히 감각을 느껴본다. 움직이는 발가락이 있어 고맙고, 다리 덕분에 걸을 수 있어 고맙다. 배고픔을 알 수 있어서 고맙고, 가슴이 뛰며 고민할 수 있어서 고맙다. 그런 후 두 손을 가슴에 댄다. 쿵쿵거리는 심장 소리와 촉감. 따뜻한 살결에 그냥 기댄다. 그리고 잔다. 푹 잔다. 자는 동안 온전히 휴식을 준다. 깨어나면 지금 당면에 있는 고민을 공책에 적는다. 아주 사소한 것도 적는다. 지금 할 수 있는 것과 할 수 없는 것을 구분한다. 시간이 해결해 주는 것과 지금 해결해야 할 것을 구분한다. 복잡했던 그 무언가가 잡힐 듯 말 듯 했던 것이 어느 정도 선명해진다. 마음이 한결 편안해진다. 과욕을 부리고 있음을 자각한다.

'다 내 욕심이었구나.'

'내가 나를 볶았구나.'

'사람들은 나에게 관심 없다. 실수한 것을.'

'잘하고 싶어서 그랬구나.'

'인정받고자 애썼구나.'

왜 이리 힘들지? 라는 생각이 들 때면 시간적 공백을 가진다. 전진을 위한 잠깐의 쉼표로 여긴다. 예전엔 '요거만 하고'라며 미뤘지만, 지금은 체력을 키운다. 3층은 계단으로 가고, 하루에 한 끼는 무조건 제대로 된 밥 한 끼를 챙겨 먹는다. 아주 사소한 것이지만 큰 변화다. 체력이 받쳐주지 않으니 정신력이 떨어졌다.

'인생은 마라톤이다' 이 문구는 어떤 관점에서 어떻게 해석하느냐에 따라 다르다. 마라톤은 계속 뛰어야 한다. 목표 거리까지 쉬면 안 된다. 그러나 인생은 어찌 계속 달릴 수 있을까? 지치면 주저앉아 숨도 고르고, 가는 사람한테 힘드니 손 좀 잡아달라고 할 수도 있다. 같이 가면서 길가에 핀 꽃들도 감상하면서 쉬엄쉬엄 가면 되지 않겠는가? 그냥 내 속도대로 가면 된다. 앞질러 가는 이도 있고 내 발자국을 방향 삼아 걸어오는 이도 있을 것이니 그저 할 수 있는 만큼 정성을 쏟으면서 가면 된다.

"아버지라는 사람이 아들은 안 태우고 당나귀를 타고 갈 수 있어? 나쁜 아버지네."
"아들은 앉아 있고 아버지는 걷게 하고 당나귀를 타고 갈 수 있어? 나쁜 아들이네."

이래야 한다, 저래야 한다는 정답은 누가 만든 건인가? 지금 느끼는 감정, 상황은 온전히 자기 것임을 알아야 했다. 정해진 틀에 맞추다 보면 정체감이 흔들렸다. 어떤 사람인지, 어떤 것에 삶의 의미를 두는지 살펴보고 마음 그릇을 점검했다. 그저 어른들이 하라는 대로 살아온 삶, 독자적인 삶이 아닌 타인을 위한 삶 등이 진짜 나의 모습인지 생각해야 했다. 무엇이 가슴을 뛰게 하는지, 어떤 것에 행복을 느낄 것인지 살펴봐야 했다.

똑같은 역경일지라도 어떻게 써 내려가는가에 따라 해피 엔딩, 새드 엔딩 그리고 미완성이 되기도 했다. 살다 보면 수정이 필요한 시기가 왔다. 그때는 다음 챕터를 쓰기 위한 단계가 왔다고 생각하며 나갔다.

어떤 것이든 붙는 만능 접착제가 있습니다. 너무나 아끼는 그릇이 깨졌습니다. 한 조각 한 조각 모아 정성껏 붙입니다. 꼼꼼히 살펴 원래의 그릇 모양이 되게끔 정성을 다합니다. 완성되었고 완벽합니다. 단지, 깨진 조각 사이 접착제 흔적과 자국이 있다는 것 외에는. 깨진 그릇은 원래의 모습대로 되기 힘듭니다. 하지만 인정하면 됩니다. 이 그릇이 예전에 무엇을 담았는지 미련을 두지 마세요. 지금의 모양으로 무엇을 담으면 좋을까? 라고 생각하면 어떨까요? 지금의 모양이 중요하지 그전의 모양은 중요하지 않습니다. 예전과 달리 투박해졌지만 나름 멋이 나네. 김치를 담으면 괜찮겠는데! 물을 담아 꽃잎을 넣으면 예쁘겠는데! 바라보는 지금이 중요합니다. 과거는 과거일 뿐입니다. 금이 간 그릇도 자세히 보면 나름 멋스럽고 괜찮습니다. 세상 하나뿐인 나의 그릇, 무엇을 담고 싶으세요?

틀린 맛은 없다
다만 다른 맛일 뿐

2015년부터 ○○대학교 평생교육원에서 상담 관련 강의를 하고 있다. 생애 첫 강의였기에 가슴이 많이 뛰었다. 이전에 맡았던 강사는 역량이 높았던 분 이셨기에 후임자로서 책임감을 느꼈다. 가는 내내 어떤 말을 할까? 분위기는 어떨까? 걱정 반 기대 반으로 강의실에 도착했다.

"안녕하세요. 만나서 반갑습니다!"

수강생들은 낯선 여자의 등장에 머리부터 발끝까지 스캔하듯 쳐다보았다. 인사를 나누면서 어느 누가 먼저 웃는 표정을 짓지 않았다. 첫인사가 무색할 만큼 조용한 분위기 속에서 침 삼키는 소리가 들릴까봐 입꼬리를 올리며 삼켰 다. 낯선 장소, 어색한 분위기, 수강생의 연령대는 20대부터 50대까지 다양했 다. 수업 진행 과정, 교재 소개 등을 소개한 후, '상담이란 무엇인가?'를 시작으 로 수업을 진행했다. 10분간의 휴식 시간을 갖고 수업을 마치려고 할 때 한 중 년 남자 수강생이 손을 들어 질문하였다.

"강사님. 수업은 저녁 7시부터 10시까지이지요?"

"네."

"야간수업이라 1학기에는 좀 일찍 마쳤는데 이번에도 그렇습니까?"

질문하고자 하는 의도가 궁금했다.

"일찍 마쳤으면 하는 건지 아니면 시간에 맞게 해 달라는 건지요?"

"다른 분들은 잘 모르겠으나, 강사님이 수업 진행을 설명하실 때 많이 배울 수 있겠다는 생각이 들었는데."

질문의 의중을 알 수 있었다.

"네. 귀한 시간을 내셔서 공부하러 오셨잖아요. 그만큼 온 힘을 다할 것입니다. 10시까지 할 예정입니다."

답변을 들은 수강생은 미소를 지었다.

"강사님이 이렇게 말씀하시니 이번 학기가 기대됩니다."

질문한 수강생은 늦게 배운 공부라 좀 일찍 마치는 것이 아쉬웠다고 한다. 모든 수강생이 10시까지 수업하는 것에 동의하여 1학기 동안 10시까지 수업을 진행했다.

본격적인 수업이 시작되었다. 개념부터 이론 그리고 실생활을 접목하여 쉽게 이해할 수 있도록 수업했다. 3시간 수업 중 10분 정도 휴식 시간을 제외하고 수업을 진행했다. 몇 주가 지난 후 쉬는 시간에 수강생들이 삼삼오오 모여 말했다.

"강사님. 작은 체구에 열정적인 수업을 해 주셔서 우리는 정말 감사해요"

"아닙니다. 저가 더 쉽게 설명하고자 노력하는 데 괜찮으셨어요?"

"그럼요. 우리야 너무 잘 듣고 있죠. 완전히 이해하지 못해서 그게 문제지"

"한번 듣고 어떻게 이론을 다 이해할 수 있겠어요?"

"근데 강사님. 3시간 동안 우리를 어떻게든 이해할 수 있도록 예시도 들어주고 설명해 주시는 데 안 힘드세요? 보는 내내 쓰러질 거 같아 걱정돼요"

"걱정해주셔서 고맙습니다. 살살하게요."

수강생에게 하나라도 더 알려주고 싶은 마음이 전달된 거 같아 뿌듯했다. 많이 부족한 것 같았다. 온 정성을 쏟는 것만이 정답이라 생각했다. 수업을 진행하면서 수강생들이 어려워하는 것이 보일 때면 많은 예시를 들어 설명했다. 그러나 어느 정도 한계가 있었다. 이런 느낌을 받을 때면 힘은 더 들었다. 어떻게 하면 이해가 될까? 모두가 다 알고 지나갈 수 없다. 너무 마음에 두지 말자는 두 마음이 공존했다.

어느 날 한 수강생이 팔짱을 낀 채 계속 쳐다봤다. 수업에 집중하지 않는 태도가 강의 내내 불편하게 했다.

"○○○ 님, 하고 싶은 말씀이 있는지요?"

"아니요."

"계속 쳐다보시기에 궁금해서요."

"이전 강사님 수업은 간결하게 한 기억이 나서요."

"그랬군요. 쉽게 설명하려고 노력했는데 이해가 잘 안 되셨군요!"

몇몇 수강생은 끄덕거렸고, 몇몇 수강생은 인상을 썼다. 수업 분위기는 조용했고 가라앉았지만 동조하지 않고 수업을 마무리했다.

수업을 마치고 운전하는 데 힘이 자꾸 빠져 앞을 보며 집중해야 했다. 열심히 하고자 했던 열정이 과해서 오히려 원조의 맛이 퇴색되지 않는지 점검했다. 검은 연기가 휘 감아 귀에 속삭이듯 이렇게 말했다.

"너무 나대지 마~~"

"넌 항상 뭔가 부족해."

"대강해, 아무도 몰라."

밤거리의 야경이 자꾸만 흩어져 보였다. 코가 먹먹했다. 숨을 깊게 내쉬며 음, 음 하며 소리를 냈다. 열심히 강의를 준비 했는데 쉽게 와 닿지 못했구나. 어떻게 접근해야 할까? 무엇이 문제일까? 긍정적인 방향보다 부정적인 감정이 강하게 밀려왔다. 자신감을 놓지 않겠다고 다짐했는데 쉽게 무너졌다. 오후에 상담을 한 후, 저녁에는 3시간을 강의하고 집에 오면 밤 11시였다. 너무 힘들다. 지친다. 쉬고 싶다. 자야겠다.

거울아, 거울아 이 세상에서 누가 가장 예쁘니?
백설 공주님이십니다!
뭐라!! 다시 묻겠다. 세상에서 가장 예쁜 사람은 누구냐?
백설 공주님이십니다!

백설 공주 이야기를 다시 쓰고 싶다.
거울아, 거울아 이 세상에서 누가 가장 예쁘니?
백설 공주님이십니다!
알았다.

간단하다. 인정하면 된다. 여왕은 백설 공주와 비교하면 나이부터 밀린다. 어린 공주와 비교할 수 있을까? 미스코리아라도 어린 소녀의 순수함과 귀여움 그리고 매력은 따라갈 수 없다. 여왕이 왜 자신의 미모에만 집착했을까? 변신할 수 있는 능력도 있고 연륜도 있는데 단지 미모만이 자신의 전부로 여겼을까? 자신의 믿음, 자신감이 낮지 않았을까? 백설 공주 새엄마의 입장이

50

아니라 여자로서 바라볼 때 불쌍한 여인이다. 자신만의 매력이 있었을 것인데.

계속 노력할 것이다. 부족하다 싶은 건 좀 더 찾아보면 된다. 한 수강생의 개인적인 생각이지 전부가 그렇게 평가하지 않았다. 소수의 불만에 머물지 말고 다수 수강생을 위해 최선을 다하자. 아직 수업은 많이 남아있다. 나는 나다. 틀린 것이 아니라 다를 뿐이다. 고유의 맛으로 대결할 것이다. 단지 이전과 다른 맛일 뿐이다. 수업 진행하기 전 오늘 배울 내용의 핵심은 무엇인지 점검했다. 많은 것을 전달하기보다는 이번 수업목표를 위한 핵심 키워드로 집중하자.

어느덧 강의를 시작한 지 4년이 지났다. 종강하면 수강생들이 하는 말이 있다. 3시간 수업하는 동안 지루하지 않게 진행한 열정, 매주 질문과 토론을 통해 한 명도 빠짐없이 이야기를 풀어갈 수 있게 장을 만든 성실성. 열정과 성의를 담은 모습에 고마움을 느낀다고 한다. 세 단어는 나를 일으켜 세우는 것이기도 하지만 방향성이기도 하다.

비난받을 때, 지적받을 때 주눅 들지 마세요. 똑같은 행동이라도 보는 사람의 관점에 따라 다릅니다. 같은 영화를 봐도 자신이 기억하는 장면과 다른 사람이 기억하는 장면은 다릅니다. 비난하는 사람의 개인적인 관점입니다. 이분법적으로 옳고 그름보다는 그럴 수 있고 다를 수도 있음을 이해하면 좋겠습니다. 당신은 연예인이 아닙니다. 모두가 좋아하지 않습니다. 나를 짓누르는 자에게 힘을 실어 주지 마세요. 스스로 상처 주는 것은 그만. 지금부터 부정적인 감정 다이어트 시작!

기존 맛으로 지금의 맛 평가금지

살면서 먹어본 음식의 종류는 얼마나 다양할까? 서민 메뉴인 '짬뽕'도 새로운 퓨전으로 탄생한다. 신메뉴를 맛보다 보면 젊은 층에 취향 적격이구나 싶은 메뉴도 있다.

고등학생인 막내딸은 같이 장 보는 걸 좋아한다. 전화가 오면 첫 마디는 '엄마 어디야?'다. 장을 보러 갈 예정이면 같이 가자고 신신당부를 한다.

어릴 적 나 역시 엄마랑 시장가는 것을 좋아했다.

"엄마 오늘 시장 가?"

"그래. 곧 간다."

"나도 갈래."

"집에 있어."

"싫어. 따라갈래."

"참말로,"

귀찮다는 말에 더 떼쓰지 않았다. 나는 '예쁘니'라는 별명에 맞게 예쁘게 행동해야 했다. 가만히 마당에 앉아 있는 모습이 불쌍해 보였는지 손짓을 했다.

"가자. 예쁘나."

"진짜?"

"그래."

엄마와 손잡고 시장가는 길은 콧노래가 났다. 횡단보도도 겁이 안 났다. 좁은 골목도 씩씩하게 걸을 수 있었다. 작은 입에서는 계속 조잘조잘 이야기가 나왔고 엄마가 웃으면 발걸음은 총총거렸다.

80년대는 1만 원이면 많은 것을 살 수 있었다. 10원에 떡볶이 떡 2개를 먹었던 시절이었다. 장바구니에 여러 채소와 라면 등이 담겼다. 시장에 가면 엄마는 꼭 맛있는 걸 사줬다. 뭐라도 사 줬다. 어디서 닭튀김 냄새가 났다. 엄마 손을 끌고 냄새나는 쪽으로 갔다. 닭발, 닭똥집, 프라이드, 강정 등이 있었다. 먹고 싶었다.

"엄마. 이거 하나 사줘."

"먹고 싶니?"

"응."

"아줌마, 이거 얼마예요?"

생각보다 비쌌는지 엄마는 다음에 사준다고 했다. 떼를 쓰지 않았다. 난 착한 아이니깐. 착해야만 했으니깐 떼쓰지 않았다.

며칠이 지났다. 혼자 놀고 있는데 엄마가 손짓하며 불렀다.

"예쁘나. 시장 가자."

시장을 가는 것도 좋았지만 엄마랑 같이 가는 거 자체가 행복했다. 시장에 도착하자마자 통닭집으로 바로 갔다. 며칠 전에 싸주지 못한 것이 마음에 걸렸나 보다.

"아줌마, 닭 다리 하나 주세요."

"네~"

어린 손에 닭 다리 하나가 쥐여 줬다. 한입 물었다. 그런데 뭐가 쭉 딸려왔다.

"엄마."

닭다리가 완전히 튀겨지지 않았다. 얼른 가서 바꿔왔다. 가게 주인이 미안하다며 닭발 하나를 공짜로 줘서 엄마는 닭발을, 어린 소녀는 닭 다리를 잡고 먹었다.

막내딸은 닭발을 좋아한다. 시장 안 포장마차에 먼저 간다. 닭발 구이를 기다리며 좋알거렸던 어릴 적 내 역할을 이제 막내딸이 한다. 친구 이야기, 연예인 이야기 등 하면서 친정엄마가 이런 마음이었겠구나 싶어 마음이 짠했다.

장 본 재료로 무엇을 먹을까 고민했다. 김치찌개를 할까? 돼지고기 두루치기를 할까? 고민 중에 막내딸이 다가왔다.

"엄마, 오늘은 내가 요리사~~ 저녁밥 할게."

"진짜?"

"응. 엄만 쉬고 있어."

막내딸은 요리하는 걸 좋아한다. 인터넷 검색을 한 후 화면을 보면서 재료를 씻고 채를 썬 후 프라이팬에 재료를 볶았다. 제법 맛있는 냄새가 났다. 고기 냄새, 간장 냄새, 깔깔한 청양고추 냄새, 마늘 찧는 소리, 파, 양파 써는 소리 뭔가 바빠 보였다. 해 줘서 고맙기는 한데 뒷정리는 어찌할지.

"엄마 밥 먹으러 와."

"와~뭐 했어?"

"돼지 두루치기. 색다르게 해 봤어. 맛은 보장 못함."

"막내가 했으면 맛은 기본이지, 뭐."

엄마가 매운 걸 좋아하는 것을 알기에 청양고추를 첨가한 간장 돼지두루치기였다. 모양새는 제법 괜찮아 보였다. 달고 짭짤한 게 감칠맛이 났다. 한입 먹고 미소 짓는 모습을 보고 안심이 되었는지 딸도 젓가락질했다.

"엄마, 내가 했지만 만족."

"역시, 우리 집의 요리사. 정말 맛있다."

딸을 보고 엄지를 척 들어 올렸다. 신이 났는지 다음에는 더 색다른 음식을 해 주겠다며 큰소리쳤다.

예전부터 먹어본 음식 맛은 익숙하다. 가끔 새로운 음식을 먹기는 하지만 익숙한 맛을 찾는다.

'원조가 짱이야.'라는 말답게 새로운 맛보다 친숙한 맛이 좋다.

어떤 시도를 할 때 우리는 기존의 경험을 토대로 생각하고 결정한다. 실패했던 거라면 포기할 것이고 성공했던 것이면 시도해 볼 것이다. 이전에 겪었던 것이 정답이 아닐 수도 있는데도 말이다. 스스로가 한계를 짓는다. 무엇이 잘못되었는지 어떤 방법으로 해결해야 할지 찾기보다는 '난 원래 그래', '내 하는 일이 다 그렇지'라며 자신을 낮춘다. 한두 번으로 원래 그런 게 어디 있나! 몇 번의 실수가 전부인 양 생각한다. 결과만으로 자신의 능력을 단정 짓는다면 불행하다. 쉽사리 자신을 작은 틀에 집어 놓지 말자. 지금의 모습은 인생의 한 부분의 조각일 뿐이다.

다양한 경험을 하라고 합니다. 많은 사람을 만나보라고 합니다. 그래야 지혜도 생기고 안목도 생긴다고 합니다. 경험, 새로운 만남 좋습니다. 그런 과정에서 무엇을 얻을 수 있을까요? 좋은 일만 있지 않습니다. 세상사 내 마음대로 흘러가지 않습니다. 믿었던 사람에게 배신도 당하기도 하고 새로운 일에 도전해서 돈도 잃고 몸도 상할 수 있습니다. 그러나 경험에는 버릴 것이 없습니다. 실패 경험을 통해 왜 그런 일이 벌어졌는지 알아가는 게 삶의 지혜를 얻는 것입니다. 잘 되면 잘 된 이유가 있습니다. 그저 운이 좋았다는 식으로 두루뭉술하게 지나치지 마세요. 지혜란 여러 상황 속에서 직접 겪어 보고 어떤 것이 결정적인 요소가 되었는지 점검하는 것입니다. 경험 마일리지가 늘어갈수록 조급한 마음이 줄어듭니다. 안 될 수 있는 경우 인생 공부 힘들게 했다며 지금 현실을 받아들이세요. 그래야 시작할 수 있고 나아갈 수 있습니다. 결과를 떠나 수고한 내 몸이 쉴 수 있도록 해 주세요. 그것만으로도 괜찮지 않습니까? 하늘 한 번 쳐다보세요. 하늘 보고 몇 분간 넋 놓으세요. 그런 후 맛있는 음식을 드세요. 그까짓 거 또 시작하면 됩니다. 본인이 만든 마음감옥이니 열쇠도 있습니다. 나오세요. 그리고 두 손을 뻗어 희망의 키를 넣습니다. 쇼생크 탈출의 영화 한 장면처럼요.

제2장
온갖 재료가 섞인 세상

비빔밥은 여러 나물을 담아 양념장에 비벼 먹는 우리나라 대표적인 음식이다.

쓱쓱 비빈 밥을 한 숟가락 입에 넣으면 각각의 맛도 느껴지지만,

어울려서 내는 맛도 일품이다.

씹을수록 고소한 맛과 아싹아싹 씹히는 식감은

어느새 그릇을 비우게 만든다.

우리 삶도 좋다가 슬퍼지고, 절망하다 재기한다.

인생도 비빔밥처럼 다양한 인생 맛을 경험한다.

달콤하지만 쓴맛이 어우러진 인생의 맛은 예측불허하다.

어른 맛을 보다

도시에서 자라 농촌에 대한 환상을 가지고 있었다. 개울가의 올챙이 한 마리를 발견하며 정답게 느낄 수 있을 거라 믿었다. 드넓은 정원과 맑은 공기 안에서 사랑하는 남자와 한 지붕 아래 한 이불을 덮고 생활할 수 있다니 앞으로의 인생은 달콤한 맛으로 가득할 거라 기대했다. 그러나 현실을 파악하는 데는 오랜 시간이 걸리지 않았다.

12월이라 방 온도와 실외 온도 차이는 대단했다. 옛날식 한옥이라 바닥은 뜨거웠고 코끝은 시려왔다. 천장 위의 쥐들은 '날 잡아봐라' 놀이를 하듯 시끄러웠다. 벽 하나를 사이에 두고 증조할머니 방과 연결되어 있었다. 임신한 몸이라 오전 집안일을 끝내고 낮잠을 자려 방에 가면 증조할머니와 동네 어르신 대화 소리가 들렸다. 누구네 집에~ 등 담소 나누는 소리를 고스란히 들어야 했다. 임신한 몸이라 자주 화장실을 갔다 와야 했다. 재래식 화장실은 밖에 있어 옷을 많이 걸쳐 입어야 했다. 피부 털이 섰고, 이빨 부딪치는 소리가 났다. 두 손은 임신한 배를 감싸고 행여나 미끄러질까 조심스럽게 걸었다.

시어머님은 동네에서도 깔끔하기로 소문이 자자했다. 풍문으로는 깔끔한 시어머니와 같이 살 며느리는 힘들 거라 여겼다. 걱정되었다. 부지런한 것과는 거리가 먼 데, 아침잠이 많은데 어떡하지?

함께 산 지 몇 달이 지났다. 걱정과 달리 시어머님은 집안일에 관해 아무런 말씀을 하시지 않았다.

종일 밭에서 일하시지만, 시어머님은 저녁에 TV를 보시면서 천장에 얼룩을 발견하면 파리채에 걸레를 걸어 청소하셨다. 잠시라도 쉬지 않고 쓸고 닦으셨다. 20년이 지난 싱크대라고 볼 수 없을 만큼 깔끔하다. 며느리가 행여나 마음 불편해할까 봐 TV 보면서 닦는 게 습관이라 했다. 신경 쓰지 말라 하셨다.

희한한 건 어머님은 잔소리하지 않았다. 그때는 몰랐다. 나름 잘하고 있다고 자부했기에 당연하다고 여겼다. 겨울이 지나 여름까지 보내면서 아무런 눈치를 채지 못했다.

한옥이라 밤이 되면 내부는 환하게 보이지만 밖에는 누가 있는지 보이지 않는다. 그날도 화장실에 가기 위해 방에서 나왔다. 볼 일을 다 보고 방으로 걸어가고 있는데 놀라운 광경을 목격했다.

안방과 주방 사이에는 좁은 문이 있는 구조다. 행여나 누가 지나가다 볼까 봐 안방 불은 비췄지만, 부엌 불은 켜지 않은 채 시어머님이 주방에서 청소하고 계셨다. 저녁을 먹고 나면 설거지하고 같이 드라마보다 저녁 9시쯤 되면 자기 위해 내 방에 갔다. 그 시간쯤 이불을 깔고 주무실 준비를 하셨다. 반복되는 일상이기에 그날도 시간이 되어 나갔다. 아이를 재운 후 화장실에 가기 위해 나왔다. 어두운 부엌에 검은 그림자가 보였다. 자세히 보니 어머님이 싱크대를 구석구석 닦고 계셨다. 부엌에 딸린 창문과 창틀도 닦고 계셨다. 그대로 마당 가운데에 서서 청소하시는 모습을 한참 지켜봤다. 어두운 밤과 한 몸이 되어 당신이 열심히 닦고 쓸고 치우고 있었다. 이제야 알았다. 싱크대가 항상 반짝했는지를. 만져보면 빠닥빠닥 소리가 날 정도로 물때가 없었는지 당신은 말로 가르치지 않으셨다. 보이지 않는 곳에서 실천하셨고 스스로 알아갈 때까지 기다려줬다. 뭉클하고 감사한 마음이 들었다. 진정한 어른의 맛을 느꼈다.

  어머님. 고맙습니다. 저에게 말씀하시지, 말로 가르쳐주셔도 되셨는데
  당신은 그러지 않으셨습니다. 스스로 알아차리고
  성장할 수 있도록 기다려 주었습니다. 답답했을 것인데.
  지적하고 싶었을 것인데 참으셨군요.
  당신의 모습을 보면서 이것이 어른이 이구나. 어른이 보여줘야 하는
  깊은 배려가 이런 것임을 느끼게 해주셨습니다.
  당신의 그림자를 보며 배우겠습니다.

  어머님이 청소하는 모습을 보면서 달님과 별님에게 약속했다. 참 어른이 되겠다고. 무엇이 참 어른인지는 선명하지 않지만 한 가지는 배웠다. 말보다 행동으로 보여주는 거. 그것만큼은 그날 확실히 알게 되었다. 어른이 되기 위한 행동수칙 하나를 새기는 밤이었다.
  첫째는 대학 공부를 위해 서울에서 거주한다. 혼자 자취하기 때문에 모든 것을 알아서 해결해야 했다. 게으른 성격이라 짐작은 갔지만, 방을 본 순간 기대 이상이었다. 양말은 제 짝을 잃어버렸고 며칠간 입었던 옷들은 행거와 책

상 의자에 축 처진 채 널려져 있었다. 긴 머리카락은 여러 형태로 자태를 뽐내고 있었고, 욕실은 검은 곰팡이가 주인인 양 영역을 확대하고 있었다. 노란 곰팡이는 타일 사이에 변기 사이에 자리 잡고 있었다.

"엄마가 짐작은 하고 왔는데 우리 딸 역시 대단해."

"엄마, 근데 이거 정리한 거야."

정리한 수준이 이 정도라니! 어이가 없었다. 작은 방인데 청결하지 않으면 몸은 괜찮을지 걱정이 됐다. 같이 마트에 가서 먹을거리도 사고 필요한 용품도 구매했다. 첫째랑 대강 집 정리하고 맛있는 저녁을 먹었다. 이런저런 이야기 나누다 새벽에 잠들었다.

늦은 새벽에 깼다. 딸이 자는 걸 확인하고 조심스럽게 일어나 욕실로 갔다. 곰팡이 제거제를 뿌리고 철 수세미로 세면대부터 청소를 시작했다. 묵은 곰팡이라 잘 씻어내러 가지 않았지만 온 힘을 다해 제거했다. 청소하는 모습을 보면 딸이 불편할까 봐 다 끝낸 후 다시 잠을 잤다.

아침 알람 소리에 일어났다. 첫째가 욕실에 갔다 오더니 뻔히 쳐다본다.

"엄마, 언제 욕실 청소했어? 내 욕실이 아닌 줄 알고 깜짝 놀랐잖아!"

"그랬니? 배고프지. 씻고 얼른 밥 먹자."

잔소리한들 얼마나 변화가 될까? 싶어 몸소 보여준다. 시어머님께 배운 대로 딸에게 하고 있다.

정리된 모습을 보여주면 정리 정돈을 잘 못 하는 딸도 앞으로 정리를 할 것이라 믿는다. 말보단 몸소 보여주는 어른이 되겠다고 마음속으로 결심한 것을 실천하고 있다.

흔히 엄마가 책을 읽는 모습을 보여줘야 애들이 책을 본다는 말이 있다. 부모교육에서 자주 인용되는 말이다. 하지만 모든 아이에게 통용되는 건 아니다. 우리 애들은 그렇지 않았기에 말할 수 없다. 대신 기다려줘라. 엄마가 억지로 책 보면 스트레스 더 받는다며 말한다. 자신이 한 만큼 아이도 할 것이라는 보상심리가 따라온다. 느긋하게 기다리며 아이를 믿으면 된다.

우리 아이들은 어릴 적부터 엄마가 책을 읽는 모습을 보며 자랐다. 어느 곳이든 책이 있었다. 책 보는 모습은 아이들에게는 새삼스럽지 않았다. 그런데 우리 아이들은 책보다 TV 프로그램을 봤다. 10년째 그렇다. 아이들은 책을 읽지 않았다. TV 보고 인터넷 게임을 했다. 독서에 흥미를 느끼기 전까지 그저 책을 읽고 있을 뿐이다. 잔소리하지 않는다. 아이들은 우리 엄마는 늘 책 보는 사람이다 외는, 그 이상도 그 이하도 아니다.

웃기는 건 아이들이 책을 보지 않지만, 책에 대한 거부감이 없었다. 큰딸이 사춘기를 넘기고는 책 보는 재미에 빠졌다. 만화책과 연애를 시작했다. 게임 중독에서 벗어나자 만화책에 약 1년간 푹 빠졌다. 공부, 시험지 등 빈 곳만 있으면 만화 캐릭터를 그렸다. 제법 잘 그렸다. 미대에 보내야 하나 정도였다. 만화책과 이별한 후 본격적으로 책을 읽기 시작했다. 고등학교 들어가서는 글짓기 관련 상을 자주 받아왔다. 아들도 다독하지 않지만 낯설어하지 않았다. 문제는 막내였다. 초등부터 중학교 시절까지 책과 담을 쌓았다. 기다려줬지만 새로운 자극이 필요할 거 같았다. 요리에 관심이 많았던 시기라 요리책을 사줬다. 좋다고 하면서 몇 페이지를 넘겼다. 꽤 읽을 거라 기대했지만 오래 보지 않았다.

고등학생인 된 막내딸은 동물에 관심을 두기 시작하면서 무서울 정도로 동물 관련 책을 빌려 왔다. 동물 인권, 동물 커뮤니케이션 등 이런 책도 있구나! 할 정도로 막내 덕분에 알게 되었다. 아이들이 스스로 성장하고 알아서 자기 방향을 잡아가는 모습을 볼 때면 어두운 밤 시어머님이 청소한 모습이 다시금 되새기게 된다. 기다려주자. 스스로 성장할 수 있을 시간을 주자. 어른이 되어 가는 과정이니깐.

어른이 된다는 것!

생물학적인 나이는 시간이 흐르면 됩니다. 성숙한 어른은 노력해야 합니다. 주변을 살펴보세요. 모든 분이 참 스승입니다. 좋은 것은 배우면 되고 좋지 않은 건 이래서 안 된다! 다짐하면 됩니다. 시대적 흐름에 따라 성숙한 어른의 모습이 달라지겠지만 변함없는 것이 있습니다. 넉넉한 미소와 여유 그리고 열린 마음이 아닐까요? 40여 년 살면서 느끼는 것은 기다려주는 거. 조급한 마음 내려놓는 것이었습니다. 바로 눈앞의 성과, 결과물은 인생의 한 부분이지 가치의 방향은 아니었습니다. 당신은 어떤 어른이 되고 싶습니까?

겨자 맛 큰 딸

각각의 식자재에는 고유의 맛과 향이 난다. 명이나물이 장아찌가 되면 풍미가 깊은 음식으로 재탄생된다. 겨자도 그 자체만으로는 매력이 없으나, 필요한 음식과 만났을 때 향미가 달라진다. 처음엔 찡하지만, 끝 맛은 상큼한 맛은 그 재료의 특성이다.

매일 공부를 했다. 부엌이 공부방이라 외워지지 않으면 머리를 식탁에 박고 좌우로 흔들었다. 분명 한글 말인데도 이해가 되지 않았다. 스트레스가 쌓일수록 몸도 망가지고 있었다. 극심한 피곤감, 무력감이 몰려왔다. 불면증이 생겼다. 오만가지 잡생각이 드는 날이면 아무 생각 안 들게 술이라도 그나마 마음이 편할 거 같았다.

늦은 시간, 뭔가 먹고 싶었는지 큰딸이 부엌에서 어슬렁거렸다.

"뭐 먹고 싶어? 만두 구워줄까?"

"내가 구워 먹을게. 근데 엄마 힘들어 보여."

"좀 힘드네."

"뭔 일 있어? 엄마?"

"공부해야 할 일은 태산인데 진도가 안 나가"

"엄만 할 수 있어. 우리 엄마가 누군데 할 수 있고말고. 영어 해석 좀 도와줄까?"

"우리 딸 많이 컸네."

"암~~많이 컸지."

그랬다. 고등학교 1학년이었던 딸이 엄마를 위로해 줄 수 있는 아이로 성장했다. 초등학교 6학년부터 중학교 2학년까지 질풍노도의 사춘기를 겪었던 아이라고 믿어지질 않을 정도다.

초등학교 6학년, 초등학교 4학년, 어린이집 다녔던 삼 남매를 위해 경산에서 대구 수성구로 이사를 결정했다. 큰 애 중학교 입학을 위해서다. 전학 오면 여러 가지 신경을 써 줘야 했지만, 애들이 잘 적응하는 성격이라 걱정하지 않았다. 새로운 학교에서 친구와 잘 지내는 줄 알았는데 운동회가 끝난 후 조금씩 신경질을 부리기 시작했다. 처음엔 적응한다고 나름 스트레스받는가 보다, 곧 괜찮아지겠지 했다. 둘째도 이상했다. 뭔가 숨기는 듯했다. 지갑에 돈이 없어지는 횟수가 잦아졌다. 큰애는 눈도 안 마주치고 무슨 말이라도 하려고 하면 먼저 짜증부터 냈다. 둘째는 학교를 마치면 저녁이 돼서야 들어왔다. 학원에 전화해 보니 자주 결석한다고 했다. 예감이 이상했다. 학교 선생님께 전화라도 드려볼까? 하다 가도 괜찮겠지, 어른도 낯선 환경에 적응하는 데 시간이 필요하잖아. 여러 상황을 그냥 시간이 해결해 줄 거로 생각했다. 그런데 아니었다.

어른들이 애들에게 용돈을 주시면 바로 아이들 명의의 통장에 입금하였다. 자기 이름의 통장에 금액이 찍힌 것을 보면 좋아했다. 문득 서랍 정리하다 애들 통장이 보여 확인했다. 큰애와 둘째 통장에 있던 금액이 제법 빠져나갔다. 눈과 심장이 뛰었다. 누가 이런 짓을. 범인은 누구냐? 본격적인 사투가 시작되었다.

큰애가 초등학교 6학년 1학기 마치고 여름 방학을 맞이했다. 방학 기간 동안 어디 갔다 올까? 중학교 대비해서 학원은 어디가 좋을까 정보를 알아본다고 바빴다. 그러나 큰애 눈동자엔 힘이 풀렸고, 밥도 안 먹고 점심때까지 자기만 했다. 자고 나면 씻지도 않고 밥도 대충 먹고 게임만 했다. 새벽까지 말이다. 학원가는 날에는 아무 말 없이 갔기에 그래도 학원은 안 빠지고 간다 싶었다. 학원 선생님이 전화 오기 전까지는 그렇게 믿었다.

"어머님. 집에 뭔 일 있으세요?, 아이가 자주 결석해서요."

"네? 학원 갔는데요?"

"네? 이번 주에는 거의 안 왔는데요. 그래서 전화 드렸어요. 그리고 와서도 집중 안 하고 하기 싫다고 해서요"

수화기를 들고 있던 손이 떨렸다. 그래 오늘 한번 붙어보자. 계속 지켜봤는데 안 되겠다. 정신 바짝 차리게 해 줘야겠다.

"너 앉아봐. 엄마한테 할 말 없니?"

"없는데"

"없어?"

"응."

손발이 떨리고 심장이 뛰었다.

"너 학원 안 가고 뭐 했니?"

"피시방."

"무슨 돈으로"

"내 돈으로."

"너 돈이 어디 있는데?"

"내 통장이 내 돈이지."

눈 하나 깜박거리지 않고 쳐다보며 말대꾸했다. 엄마가 왜 화내지? 라는 표정이었다.

"너 지금 말이라고 하니? 잘못한 것이 없다는 거야?"

언성이 높아졌다.

"엄마. 나 엄마랑 얘기하기 싫어!"

"뭐라고! 다시 말해봐."

"엄마랑 얘기하기 싫다고."

가만히 서 있는데 카메라가 빙글빙글 돌아가는 듯했다. 초점이 잡히지 않은 렌즈처럼 사물에 초점을 잡을 수 없었다. 피가 역류하듯 열이 나고 목구멍엔 뭔가가 박혀있는 듯 소리가 나오지 않았다.

"엄만, 나한테 관심이라도 있어? 내가 얼마나 힘들어하고 있는지 알고나 있느냐고! 아무것도 모르면서 왜 날 뭐라고 하는데! 엄만 나한테 그런 말 할 자격이 없어!"

멍했다. 커다란 망치가 머리를 한 방 쳤다. 뭔가 이상한 예감이 틀린 것이 아니었다. 무슨 일이 있었던 거지? 잘못되어가고 있다. 우리 딸이 이상해지고 있다. 동생도 잘 챙기고 엄마 마음을 가장 이해했던 큰애가 달라졌다.

며칠이 지났다. 서로 말하지 않았다. 깨우지도 않았다. 투명 인간처럼 대했다. 새벽까지 게임을 하고 점심시간쯤에 일어나 밥도 안 먹고 피시방에 갔다.

통장은 서랍 속에 있지 않았다. 일주일쯤 큰애가 나가려고 할 때 불렀다.

"엄마가 모르는 게 뭐니?"

"됐어. 새삼스럽게 관심 두기는."

"엄만 알아야겠어. 말해봐."

"됐다고."

"뭐가 됐다는 거니?"

"네네!"

말하고는 꽝 소리를 내며 집에서 나갔다. 대화가 되지 않았다. 아예 엄마랑 말하지 않겠다는 것처럼 보였다. 미성년자 보호법으로 피시방에서 자정을 넘길 수 없기 때문에 집에 오면 밤 12시 조금 넘었다. 씻지 않아 지저분했다. 냄새가 날 정도였다.

"수야~엄마 너무 속상하다. 네가 왜 이러는지 이유라도 알자."

아무 말 없이 자기 방에 들어갔다. 어깨에 힘이 빠져있고 눈동자에는 힘이 없었다. 씻지도 않고 그냥 누워 잤다. 또 그렇게 흘러갔다.

화가 났다. 자는 모습도 보기 싫었다. 청소하려 방에 가 보면 침대 옆에는 머리카락이 한 움큼 있었다. 인내력에 한계점이 왔다. 큰소리로 큰애를 불렀다.

"너 이리 와. 엄마 죽는 꼴 보고 싶니. 오늘 우리 끝장 보자 끝장 봐!"

"엄만 내 마음 알아? 아느냐고!!"

"몰라. 몰라서 물어봐도 말하기 싫다 하고 엄마가 어떻게 알겠니?"

"내가 전학 와서 친구들한테 왕따당한 거 알아 몰라!"

우리 딸이 왕따를 당하고 있었다는 말인가? 내 딸이!

"엄만. 나한테 관심 없잖아. 내가 왜 화내는지 물어보지도 않고 큰소리만 치고. 내가 얼마나 힘들었는지 알기나 해. 다 싫어. 엄마 싫고, 학교도 싫고. 공부도 싫어. 다 싫어. 다 싫다고."

우리 애가 지금 아프다며 울고 있었다. 힘들다고 잡아달라고 눈짓을 보냈는데 바쁘다는 핑계로 외면했다. 깜깜했다. 눈에는 아무것도 보이지 않았고 다리에 힘이 빠져 그냥 주저앉았다. 그렇게 한동안 그대로 오랫동안.

방학 기간 동안 큰애의 일상은 반복적이었다. 늦게 자고 늦게 일어나 피시방 가고 집에서는 한 끼 정도만 먹었다. 공부와는 아예 담을 쌓았다. 학원도 이제는 가지 않았다. 공부하지 않는 데 학원 보내는 것은 의미가 없었다. 엎친 데 덮친 격이라고 둘째도 친구랑 싸워 혀가 약간 절단되어 병원에 가서 봉합했다. 친구와 함께 상가에서 물건을 훔치다 걸려서 경찰에 전화가 왔다. 모든 게 잘못되어가고 있었다. 이대로는 안 된다. 리셋이 필요했다.

모든 걸 내려놓았다. 아이들이 아프다. 지금 필요한 건 엄마의 손길이다. 애들이 하는 행동이 '나 좀 잡아주세요! 엄마'라는 메시지 같았다. 그래. 엉킨 실마리 풀어나가자. 엄마니깐.

자기가 하고 싶은 것을 하되 20%만 엄마랑 함께하기로 합의했다. 체력을 위해 동네 등산도 하고, 댄스학원에 가서 춤도 같이 배웠다. 저녁은 같이 먹고 씻기로 약속했다. 때때로 약속을 어길 때도 있었고 떼를 쓰며 안 한다고 했다. 그럴 땐 안아줬다. 미안하다고 했다. 전문 심리상담사를 찾아가 자문 받으며 조심스레 다가갔다.

큰딸을 깨우기 위해 방에 갔다. 엄마를 보더니 벌떡 일어나 날카롭게 말했다.

"엄마. 제발 그만. 그만해 날 버려! 호적에서 날 지워버리라고 말이야. 없는 애로 취급하란 말이야" 울부짖으며 말했다.

"엄마는 그럴 수 없어. 미안하다 수야. 엄마가 필요할 때 함께하지 못해서."

같이 울었다. 절대 포기하지 않는다. 잘나도 못나도 난 너의 엄마고 넌 소중한 자식이야.

어떻게 하면 아이가 덜 힘들까? 덜 아파할까? 고민하면서 2년이 지나고 몇 달이 되었다. 큰애가 중학교 3학년이 되었다. 3학년 첫 중간고사를 쳤다. 바닥을 쳤다. 당연한 결과다. 성적표를 받아 오더니, 큰애가 고개를 숙인 채 내 앞에 와서 무릎을 꿇고 말했다.

"엄마. 내가 예전에 없는 자식으로 취급하라고 했잖아. 근데 엄마가 그럴 수 없다고 했잖아. 많이 썩었는데 내 곁에 있어 줬어. 고마워. 엄마. 정말 고마워요. 이제부터 잘할게. 이제는 내가 엄마 지켜줄게. 엄마."

아무 생각이 들지 않았다. 아무 말 없이 서로 안으면서 울었다. 그랬다. 마음의 응어리가 2년이 넘어서야 풀렸다. 실타래를 풀어줘서 고마웠다. 그렇게 우리는 절대적 아군이 되었다. 힘들어하는 모습을 보면 딸은 집안들도 도와주고 동생들을 돌봐줬다. 큰딸 뒷모습만 봐도 보약 먹은 듯 힘이 났다. 그 어떤 것보다 든든한 존재다.

아무리 힘든 세상이라도 단 한 명이라도 내 편이 있다는 것. 강력한 무기다. 숨 쉴 수 있는 공간이 있고 누가 뭐라 해도 이해해주는 사람이 있다는 거. 삶의 에너지원이 된다. 힘들어하는 청소년을 만나면 세상 모든 것을 내려놓은 표정을 한다. 삶의 목표가 없다. 그냥 그렇게 흐르는 대로 살다 무기력해진다. 자신만의 맛이 있음을 모른다. 안타깝다.

당신만의 맛과 향이 있습니다.
지금 마음에 안 든다고 괴롭히고 있나요? 못나도 나. 잘나도 나. 나라는 존재는 복

제가 안 되는 유일한 존재입니다. 얼마나 희소성이 있습니까? 못해도 괜찮습니다. 일부일 뿐입니다. 잣대에 휘둘리지 말고 묵묵히 가세요. 더디면 어떻습니까? 천천히 숙성되는 맛은 깊이가 있습니다. 한 번씩 끓어 줄 타이밍만 기억하세요. 그때는 무엇을 수정하고 더 보완해야 하는지 알 겁니다. 자신을 믿는 것. 그것만 명심하세요. 잘하고 있습니다.

계륵 같은 부부 맛

23살 어린 신부는 결혼이라는 새로운 세상에 발을 들었다. 천만 대군을 얻은 듯했다. 새 나라의 여왕이 되었다. 얼마나 원더풀 한가? 찬바람이 강하고 기온이 내려간 들 문제 될 것이 없다. 추워도 괜찮다. 사랑하는 사람과의 언약식인데 날씨가 그리 중요한가!

환상은 한 달이 채 되지 않아 깨졌다. 신랑은 결혼과 동시에 사업을 준비한다며 아침에 나가 늦게 집에 왔다. 시부모님, 증조할머니와 함께 있는 이곳에 임신한 아내를 홀로 남겨줬다. 결혼생활은 드라마에 나오는 알콩달콩한 장면일 거라 상상했지만, 그 어떤 것도 없었고 따뜻한 말도 없었다. 연애 때 묵직함은 믿음이었으나 결혼 후 묵직함은 무심함으로 변해있었다. '혼자 있는데 괜찮나?', '뭐 먹고 싶은 거 있나' 라는 말도 없었다. 그저 '갔다 올게' 말만 남기고 갔다. 뭐지? 이게 신혼생활이야? 어이가 없었다. 어린 새댁은 결혼과 동시에 우울한 싹이 트고 있었다.

남편. 남의 편. 정말 그랬다. 아파서 전화하면 병원에 가라는 말만 남긴 채 늦게 귀가했다. 주변 분이 아프다면 신경쓰고 걱정했다. 첫째가 자주 아팠다. 10개월 때 감기인 줄 알고 동네 병원에 가서 약을 먹였으나, 아이의 상태가 심각했다. 동네병원 의사가 큰 병원에 가라 해서 경북대학교 응급실로 갔다. 아이의 병명은 '급성 후두염'이었다. 코에 호스를 꽂고 비닐하우스 같은 막을 씌웠다. 아이가 숨 쉴 때마다 가슴이 쑥 들어갔다 나왔다. 링거 주사를 꽂아 나무판자 같은 것에 고정된 손을 볼 때면 손은 가슴을 치고 있었다. 미성숙한 엄마 자식으로 태어나 아픈 거 같아 미안했다. 잠깐 숨을 쉬지 않아서 뇌가 손상될 수도 있다는 말에 억장이 무너졌다. 당장이라도 동네 의사 찾아가 '내 새끼 어떻게 할 거냐'고 멱살을 잡고 싶었다. 소아응급실에 있던 보호자들은 아이가 곧 죽을 거 같다며 웅성웅성 댔다. 정신이 없어서 그 말에 어떤 대응도 하지 못하고 울기만 했다. 남편이 왔다.

아기 아빠를 보니 더 원망스럽고 서러웠다. 왜 곁에서 보호해 주지 못하냐고. 일이 더 중요하냐고 따지고 싶었다. 남편은 아이가 숨 쉴 때마다 힘들어하는 모습을 보며 묵묵히 옆에서 지켜봤다. 남편은 그런 사람이었다. 백 마디 말보다 그저 옆에서 말없이 있어 줬다. 어떤 투정도 불만도 표현하지 않았다. 어제와 오늘이 같은 사람이었다. 그 모습이 멋져 평생 반려자가 되고 싶었는데 지금은 지글지글하다. 따뜻한 말 한마디면 눈 녹듯 원망도 사라질 거 같은 데 '수고했어, 힘든 거 없어?'라는 소소한 말 한마디면 다 되는 데 할 줄 몰랐다. 그저 눈으로만 전하는 그런 사람이었다.

젊었을 때 가족보다 남이 우선이었고, 우리 아이보다 남의 아이를 더 챙겼다. 지금도 똑같다. 강도가 낮아진 것 외는 여전히 난 순위에서 밀렸다. 내 차가 말썽이 나서 한 번 봐 달라고 하면 몇 달 걸리거나 좀 과장해서 1년 정도 걸렸다. 다른 사람이 부탁하면 수일 내로 처리해 줬다. 온몸에 기름과 옷이 찢어진 것도 모른 체 열심히 봐줬다. 그런 남편을 보며 난 종종 이런 말을 한다.

"당신, 죽으면 천당 가겠어."

남편은 죽으면 천당 간다지만 같이 사고 있는 난 지금이 힘들었다. 버리지도 못하고 함께 데리고 살자니 답답했다. 부부 일은 부부만 안다고 하지 않는가? 남들이 보면 복이 많아 이런 남자랑 만났다고 한다. 그럴 수 있다. 그런 말을 충분히 할 수 있다. 타인의 관점으로 본다면 진짜 진국이다. 남편이지만 사람 대 사람으로 봤을 땐 멋진 사람이다. 하지만 부부로서는 아니다. 30대는 사업을 위해 한 달에 몇 번만 집에 왔다. 바쁜 일정으로 새벽 별을 보고 출근해서 새벽 별을 보고 귀가했다. 그런 동안 아이들을 혼자 키워야 했다. 어린이날이라도 남편은 아이와 함께하지 못했다. 바빴다. 일 중독자였다. 남편은 잠시의 여유를 견디지 못한다. 독박 육아에 지쳐있었다.

결혼 7년 차에 이혼을 생각했다. 도저히 결혼생활을 유지한다는 건 의미가 없었다. 남편은 시댁 일에는 앞장서서 해결했기에 시댁 식구들은 남편과 집안일을 의논했고 나는 통보를 받는 식이었다. 열심히 하는 건 당연했다. 뭐 해도 티가 나지 않았다. 아이와 함께 지내는 시간이 없었기에 아이들은 아빠를 보면 낯설어 울었다. 큰 욕심 부리지 않았는데. 그저 아이와 함께 저녁같이 먹고 TV 보며 수다 떨며 지내는 것이었는데 그 욕심이 컸다는 말인가?

"우리 이혼해."

"뭐? 다시 말해봐."

"이혼하자고. 결혼생활을 유지하는 의미가 없어. 당신은 일밖에 몰라. 내보다 남이 우선이고, 아이보다 일이 우선인 당신을 더는 받아들이기 힘들어. 그러니 우리 그만하자"

"열심히 산 게 뭐가 잘못이니? 내가 노름을 하고 다니니. 바람을 피우니! 열심히 산 것이 이혼감이니?"

"그 이유만으로 정당화시키지 마."

"난 이혼할 마음 없다"라며 방에 들어갔다. 역시나 내 의견을 받아주지 않았다.

남편은 만 하루를 방에 들어가 나오지 않았다. 일 중독자인 남편이 온종일 방에 있다는 건 굉장한 일이다. 저녁쯤 방에서 나왔다. 거실 베란다에 서서 한참을 서 있다 들어왔다.

"생각해 봤는데 내가 해 줄 수 있는 마지막 배려인 거 같다. 네가 원하면 이혼해줄게"

"그래."

이혼, 참 쉽구나. 그저 쌍방 합의만 하면 끝나는 관계였구나.

"아이 데리고 맛있는 거 먹으러 가자"

헤어질 사이지만 아이들에게 멋진 모습이 되고 싶었나 보다. 큰애, 작은 애 그리고 우리 부부는 복어 집에 갔다. 탕과 튀김을 시켰다. 그날은 남편이 달랐다. 아이들에게 먹기 쉽게 잘게 잘라주고 호호 불어주었다. 탕이 끓으면 그릇에 고기 가득 담아 내 앞에 두었다. 마음이 무거웠다. 이렇게 자상한데. 착한 사람인데 마음이 울컥했다. 소소한 남편의 표현이 그날따라 크게 와 닿았다.

아이들 씻기고 남편과 같이 누웠다. 남편은 늘 그런 듯 말보다 눈으로 표현했다. 마주 누워 쳐다보는 데 눈에는 여러 감정이 섞여 있었다. 서로가 그랬다. 눈물이 났다. 눈물 흘리는 것을 닦아주며 안아주었다. 토닥토닥해줬다. 따뜻한 손길이었다. 그렇게 마음의 앙금이 녹는 밤이었다.

"일이 많이 밀렸다고 전화 왔어. 이거 처리하고 전화할게. 바로 못 해줘서 미안해."

"아니야. 얼른 처리하고 와."

일이 밀렸다고 했던 것이 어째 지금까지 같이 살고 있다. 일이 많았던 것이 위기를 중재해 준 역할을 했다. 한고비를 넘기자 셋째가 생겼다. 셋째 임신을 하니 남편의 존재감이 팍 와 닿았다. 혼자 아이를 키운다는 것이 두려웠다. 임신은 우리 부부에게 큰 선물이자 서로의 소중함을 알게 해 준 가교역할을 했다. 남편은 여전히 일이 중심이지만 가족을 챙겼다. 큰 변화였다. 신혼생활이 없었던 우리 부부에게 신혼생활 같은 달콤한 시간이 만들어줬다. 전화도 자주 오고 아이 이야기도 물었다. 이것만으로 충분하다. 더 욕심부리면 벌 받을 거 같았다. 누구 집의 자상한 남편과 비교하지 않았다. 변화된 것만으로도 고마웠다. 소소한 말 한마디면 충분했다.

큰애와 둘째는 각자의 삶에서 열심히 산다. 막내가 고등학생이 됐다. 우리 곁에서 행복을 주는 천사 역할을 한다. 부부 싸움을 할 때면 막내가 아빠랑 엄마에게 애교를 부리며 분위기를 바꾼다. 뱃속부터 천사였는데 여전히 충실히 하고 있다. 남편과 함께 걸으면서 우리는 자주 그런 말을 한다.

"우리 그때 이혼했으면 지금의 행복을 느낄 수 있었을까?"

"그러게 말이다."

"그때 우린 서로 철이 없었던 거 같아."

나름 철이 들었다고 생각했는데 돌이켜보면 둘 다 어렸던 거 같다.

"내가 사십이 넘으니 철이 든 거 같다. 세상을 보는 눈이 생기고 생각도 생기고."

남편은 50대 초반이다. 우리는 서툰 부부였다. 지금도 진행 중이지만 미운 정, 고운 정, 의리로 산다고 한다. 사랑보다 무서운 것이 정이라고 했던가! 정이라는 단어 속에는 함께 한 시간과 사랑이 둘러싸고 있다. 계륵 같아서 나 하기도 그렇고 하고 남 주기도 거시기 같은 존재. 거시기한 존재가 있었기에 세상과 부딪치며 헤쳐나갈 수 있었고, 방패막이 되기도 했다. 버리지 말고 다른 재료랑 섞어 살을 붙이고 먹음직하게 만들고 있다.

부부 상담을 해보면 서로가 힘겨루기합니다. 자신의 욕구에 맞게 상대를 변화시키기 위해 필사적으로 싸움을 합니다. 잘해보자는 것인데, 사실은 득보다 상처를 줍니다. 초반에 잘 잡아야 한다고 하지만 누가 누구를 잡는다는 겁니까? 어른과 어른이 만나 새로운 가정을 이루는 데 존중과 이해로 잡아야지 권력(힘)을 잡는다는 생각은 접어두세요. 부부는 좋은 관계를 위한 겁니다. 균형을 가지세요. 어느 쪽에 기울어지는 건 분명 한쪽이 힘들어집니다. 때때로 자신이 이루지 못했던 욕구를 배우자에게 받으려고 상대를 힘들게 해서는 안 됩니다. 서로를 향한 기대와 필요를 이해하시고 함께 성장했으면 좋겠습니다. 협력자 관계로요. 어떻게 해야 하는지 모른다면 이것부터 시작해 보세요. '이거 뭐야'라는 비난. 경멸보다 '괜찮네' 등의 인정하는 말로, 텔레비전을 함께 보면서 이야기 나누고 간간이 스킨십해 보기. 스킨십은 신체, 눈빛, 말투 모두 포함합니다. "자세히 보니 꽤 잘 생겼네", "당신이 만든 음식은 내 입에 딱 이야!" 지금 당신 옆에 있는 배우자가 소중한 분입니다. 다른 상대는 남의 떡이니 좋아 보일 뿐입니다. 못나도 계륵 같아도 배우자가 제일입니다.

매운 맛 vs 담백한 맛

세월 앞에 장사 없다고 나이가 들수록 어제의 몸과 오늘의 몸이 다르다. 감기에 걸렸을 때, 예전엔 얼큰한 생태탕을 한 그릇 먹고 한숨 자면 컨디션이 돌아오곤 했는데 이제는 병원에 가지 않으면 낫지 않는다. 건강이 걱정되어 큰맘 먹고 한의원에 갔다. 한의사가 오른쪽 왼쪽 손목 진맥을 번갈아 짚고는 말했다.

"몸이 많이 안 좋은데요. 웬만하면 약 짓자는 말을 하지 않는데 약 좀 드셔야 할 거 같습니다. 시간 괜찮으시면 일주일 2~3번은 침이랑 병행하면 좋겠습니다."

"일주일에 2~3번은 좀 그래요. 근데 원장님. 친정엄마가 신장이 안 좋은 데 저도 혹시 신장이 좋지 않나요?"

"식습관이 많이 좌우합니다. 식습관이 신장에 해를 끼칠 수 있지만, 이상이 있는 건 아닙니다. 특히 매운 것은 체질에 맞지 않습니다. 몸에 열이 많아서 열나는 음식은 삼가세요."

"저가 매운 음식을 좋아하는데."

"음식만이라도 몸을 회복하는 데 많은 영향을 줍니다. 상극인 음식을 섭취하셨으니 몸에서 탈이 나지요."

매운 것을 좋아한다. 매운 아귀찜에 청양고추를 넣고 고추장에 찍어 먹는다. 잇몸에 알싸한 매운맛이 느껴질 때면 쾌감을 느낀다. 그 맛에 빠져든다. 매운맛이 딱 맞은 데 해롭다니 조금만 먹으라고!

한 달 정도는 담백하게 먹었다. 라면을 끓이면 기본 청양고추 2개는 넣었는데 안 넣고 먹었다. 그 대신 매운맛 라면으로 대체했다. 막창을 먹을 때도 막장에 청양고추를 가득 넣고 막창 한 조각과 씹으면 행복감을 느꼈다. 맵싸한 맛이 없으니 심심했다. 담백하게 먹자니 속이 니글니글했다. 유혹에 못 이겨 냉장고에 청양고추를 결국 한입 깨물었다. 카~~이 맛이야!

여전히 몸과 상극인 매운 음식을 즐겨 먹는다. 양을 조금씩 줄이고 담백한 맛에 익숙해지도록 천천히 바꾸는 중이다. 같이 공부하는 선생님도 한의원에 갔더니 자기가 즐겨 먹던 음식이 상극이라 했다. 그래서 뭘 먹을 게 없다는 말에 공감이 갔다. 어찌 몸에 좋은 건 맛이 없는 걸까?

'몸에 좋은 건 쓰다?' 꼭 그렇지는 않다. 쓴맛을 덮어줄 수 있는 것을 첨가하면 제법 맛을 낼 수 있다. 우리 인생도 쓴 말을 있는 그대로 받아들이면 상처가 된다. 특히 자신의 믿음이 약할수록 쓴맛은 약이 아니라 종양을 만든다.

'내가 널 특별히 아껴서 하는 말인데'

정말 아끼면 하지 않았으면 한다. 아낀다는 명분으로 공격한다.

'너와 잘 지내기 위해서 하는 말이야.'

잘 지내고 싶으면 지적이 아니라 배려가 먼저 아닐까?

'내가 이런 말은 하지 않는데'

하지 마라. 당신 마음은 개운해질 수 있으나 상대방은? 무심코 던진 말이 평생 아파할 수 있다.

여러 이유와 조건을 내걸고 당신을 위하는 말이라며 투명 칼을 휘두른다. 그중 진심으로 상대를 위한다는 전제가 뒷받침된다면 조언, 충고가 되겠지만 그보다는 소통의 장이 되면 좋겠다.

"윤 선생님, 내가 정말 아껴서 하는 말인데 선생님은 말할 때 강한 거 알아요? 그리고 좀 웃고 다니고!"

'?'

분명 위한다고 했는데 진심이 느껴지지 않았다. 있는 그대로 수용한 것이 아니라 자기한테 거슬렸던 건 아닐까?

"그래요? 저가 잘 웃는 편인데 선생님은 그렇게 보셨구나!"

"아니야 쌤. 가만히 있으면 화난 사람 같아"

그 말을 듣고 난 후 신경이 쓰였다. 평상시에는 화가 난 표정이었다고? 잘 웃는다고 생각했는데 아니었나? 계속 맴돌았다. 자연스럽지 않은 표정을 짓고 다녔다.

"윤쌤, 표정이 왜 그래요?"

"어떤 선생님께서 인상이 강해 보인다고 하셔서 부드럽게 보이려고 하는데 어색하죠."

그 말을 들은 선생님이 웃으시며 말한다.

"윤쌤은 집중할 때나 스터디할 때는 웃음기가 없어요. 진중해서 말 걸기가 미안할 정도로. 그런데 평상시는 안 그래. 평상시처럼 다녀요."

"고맙습니다. 선생님. 계속 그 말이."

"하나하나 마음에 두지 말고. 생각보다 마음이 여리네. 윤쌤이."

위한다는 명분으로 충고를 해 주는 분들이 계신다. 개운한 맛이 아니라 끝 맛이 씁쓸한 매운맛이 난다.

"윤쌤, 오늘 스터디해 준다고 고마워. 덕분에 많은 걸 알게 된 시간이 됐네."

"별말씀을요. 선생님."

"버스 탔는데 까지 같이 걸어요."

"아니에요. 혼자 갈게요."

"윤쌤이랑 이야기하고 싶어 하는 내 마음을 모르나?"

"그럼 선생님, 같이 가요."

함께 걸으면서 세상 돌아가는 이야기도 하고, 스터디를 같이한 이야기도 나눴다.

"윤쌤이 시간 내서 스터디 자료 만들어줘서 우린 그저 얻어 가는 마음이라 늘 미안하더라. 때때로 우리가 잘 따라가지 못할 때가 있는데 그날이 오늘이었어. 다음엔 조금만 편하게 여유를 갖고 스터디 진행해 주면 어떨까 하는데? 오늘 좀 무서웠어."

"그랬어요? 전 몰랐어요. 죄송해요."

"뭐가 죄송해. 우리를 위해 시간 내서 해준건데."

"어떤 부분에서 그랬어요?"

"우리한테 질문할 때 그랬어. 쌤이 생각하는 정답으로 말해야 할 거 같은 분위기"

"이런 그랬군요. 알려주셔서 감사합니다."

"윤쌤, 버스 오네. 너무 수고 많았고 다음엔 맛있는 거 먹어요!"

듣는 내내 담백했다. 그리고 행동을 되돌아봤다. 이럴 때 상대방이 불편해할 수 있겠구나, 확인차 되물어 봤는데 오해할 수도 있겠다는 등 행동을 점검하고 반성했다. 버스 유리창에는 네온사인이 스쳐 갔다. 내 마음도 네온사인처럼 그렇게 새겨지고 있었다. 담백한 맛 그러나 깔끔한 맛이었다.

그날 이후 함께 스터디 원들과 소통을 하며 스터디를 진행했다. 한결 편해진 시간이었다. 지금까지 내가 어깨에 힘을 주고 진행했는가? 좀 안다고 잘난척하고 싶어 했구나! 반성하는 시간이 되는 동시에 즐거운 스터디 시간이었다. 담백한 충고 맛에 내 마음이 담백해졌다.

상대를 위한다며 충고하지 마세요. 맵고 생채기가 나요.
강렬한 말에 익숙해지지 않았으면 좋겠습니다.
나도 모르게 그 맛에 익숙하면 상대에게 강렬한 맛을 낼 수 있습니다.
그 상황만 알려주세요.
정말 그분을 위해 한 말이라면 알아들었을 거예요.
그분을 믿어보세요.
당신은 어떤 맛을 내고 계시나요?

경청의 맛, 용기를 내다

학기 초가 되면 학생 정서 행동 특성검사를 한다. 초. 중. 고등학교 고위험군 위기 상담 학생을 중심으로 상담이 진행된다. 마음이 아픈 아이들을 만나 잘 성장하는 모습을 볼 때면 보람을 느낀다. 많은 아이 중에 유독 생각나는 학생이 있다.

첫 만남은 긴장되었다. 검사 결과만 봐서는 전문병원에서 진료를 받아야 할 정도로 심각했다. 우울 증상, 자살 위험도가 높았던 아이였기에 신뢰 관계가 무엇보다 중요했다.

"안녕~~"

"네."

"힘이 없어 보이네!"

"네."

"점심 뭐 먹었어?"

"그냥요."

결석이 잦은 편은 아니나 힘이 없고 또래 관계에도 관심이 없었다. 눈동자에는 초점이 없고 말은 거의 하지 않아 선생님들이 관심을 두고 관리하는 아이였다. 집에서는 신경질과 공격성을 보여 병원에 가야 할지 기다려야 할지 궁금하여 의뢰한 상태였다.

아이는 첫 만남부터 대화가 단답식이었고 눈 맞춤도 하지 않았다.

"우리가 상담이라는 목적으로 매주 만나기는 하지만, 부담 주기는 싫어."

"네."

아이는 혼잣말을 하듯 작게 응답했다.

"이 시간만큼은 네가 하고 싶은 대로 해. 자고 싶으면 자고, 말하기 싫으면 안 해도 돼. 네가 원하는 대로 해. 쌤이 따라갈게."

"네."

일반적으로 상담은 탐색 질문을 통해 원인이 무엇인지 어떤 것들이 문제행동으로 표출되었는지 알아본다. 하지만 이번 상담은 그렇게 하지 않았다. 힘이 없고 초점 없는 아이에게 질문은 무슨 의미가 있을까? 그냥 이 시간만큼은 자유를 주고 싶었다. 어느 날은 자고 싶다고 해서 소파에 눕혀 외출복으로 이불 역할을 해 주었다. 말 걸지 말라 하면 상담이 끝날 때까지 한마디도 하지 않고 기다려줬다. 그 아이가 스스로 말할 준비가 될 때까지 묵묵히 있어 줬다. 그렇게 한 달이 지나고 몇 주가 되었다.

"오늘은 뭐 하고 싶니?"

늘 그러듯 아이에게 맡겼다.

"선생님."

"그래."

아이는 바닥을 보며 작은 소리로 말했다.

"전 기차 타고 여행 가는 걸 좋아해요. 혼자서 여행 간 적도 있어요!"

"여행하는 걸 좋아하는구나!"

아이는 고개를 살짝 끄덕이며 답했다.

"버스 타고 간 적도 있어요."

"뭔 일 있어서 갔어?"

"영화도 보고 싶었고 책도 샀어요."

"그랬구나. 영화는 재미있었니?"

"네."

"책 읽는 것을 좋아하는 구나!"

"네. 책 읽는 걸 좋아해요"

"어떤 책을 좋아해?"

"아무 책이나 봐요. 그냥 손이 가는 걸 봐요"

책과 관련된 이야기를 나누면서 조심스럽게 탐색 질문을 했다.

"속상할 때나 힘들 때 어떻게 풀어?"

"그냥 자요. 짜증 부리고, 소리 지르고 방에 들어가서 넋 놓다 자요"

"그러면 좀 나아지니?"

"늘 그랬어요. 모르겠어요."

긴 한숨이 담긴 의미를 함께 풀고 싶었다. 어느덧 마칠 시간이 되어 한 가지
제안을 해봤다.

"그럼. 다음 시간에는 이전에 읽었던 책으로 이야기 나눌까?"

"싫어요. 보는 건 좋은 데 말하기는 싫어요."

아뿔싸! 아이가 조금 열어준 틈으로 앞서갔다. 상담이 끝나면 상담 일지를

작성한다. 특별히 한 것이 없기에 적을 것도 없다. 이렇게 진행하는 것이 맞는 건지 스스로 자문을 했다. 그러다 보니 조급한 마음이 드러났던 거다.

만나는 횟수가 많아질수록 아이는 한마디씩 툭툭 던졌다. 한 마디지만 성심껏 이야기해줬다. 조금씩 아이는 나와의 경계심을 풀어가고 있었다.

"선생님, 전 생각이 많을 때 글을 써요"

"글을 쓰면 괜찮아지니?"

"그냥 써요. 내가 왜 이러는지, 무엇이 문제인지 등요"

"그렇구나. 그럼 같이 글 써 볼까?"

"글이요?"

"응. 좋은 글이 아니라 지금 그대가 느끼는 마음을 글로 표현해 보는 거지."

"글쎄요. 귀찮은데."

"귀찮지. 그럴 수 있어. 쌤이랑 같이 해 보고 그때 가서 선택하면 될 거 같아."

"음."

아이와 신뢰가 형성된 관계라 예전 같으면 바로 거절했을 건데 곰곰이 생각하는 모습이 예뻤다.

"생각해볼게요. 기대는 마세요."

"그래. 다음 주에 컨디션 보고해 보자."

"네."

두 달쯤 되니 자신의 속마음을 조금 표현했다. 어깨에 큰 돌덩이를 얹은것처럼 축 처져 있었던 아이. 초점 없이 세상과 교류하기를 차단해 버린 듯 무관심이었던 아이. 밥 한 끼 못 먹은 아이처럼 목소리에 힘이 없었던 아이가 먼저 자신을 드러낸 것이다. 그런 아이가 먼저 말을 걸었던 거다. 아기가 처음으로

'엄마'라고 말할 때의 감동과 뭉클함 느낌 그 자체였다.

그 아이와 글쓰기 치료를 시작했다. 일주일에 한 편이라도 써 보자. 그냥 생각나는 대로. 욕해도 되고, 노랫말도 괜찮다고 했다. 아무런 제약 없이 지금 그대로 한번 써보라고 했다. 우리만 보는 거니깐. 처음에는 일주일에 한 편도 겨우 썼다. 본인을 위해서 쓴 것이 아니라 약속한 거라 썼다고 했다. 내가 애쓰는 모습이 신경 쓰여서 했다고 했다. 얼마나 마음이 따뜻한 아이인가? 그런 아이가 어떤 이유로 주변 사람들이 걱정할 만큼 무기력한 아이가 되었을까?

숙제처럼 했던 글쓰기. 아이는 언제부턴가 자신이 쓴 글로 이야기를 풀어나갔다. 자기를 믿어주지 않았다고 한다. 자신에게 말할 기회도 주지 않고 화내고 권위만 세우는 어른들이 싫었다고 했다. 오로지 말 잘 듣는 아이가 되길 원했다. 조건부 사랑이 아니라 있는 그대로 자신을 표현하고 싶었을 것이다. 그렇게 마음의 문을 닫아 버렸다.

"매주 만날 때마다 한 장이라도 써 와서 고마워."

"귀찮기는 해요."

귀여웠다.

"고2인데 앞으로 어떻게 보내고 싶니?"

"그냥 이렇게요. 그런데요 생각해 보려고요."

"혼자 생각해보고 이야기해줘."

"네."

웃었다. 눈꼬리가 길게 뻗으며 웃었다. 갓난아이가 웃으면 보는 이도 웃음꽃이 피듯 보는 내내 행복했다. 그 아이가 자신의 미래를 생각해 본다. 얼마나 변화된 모습인가?

"윤쌤, 잠깐만 이야기를 나눌 시간 되세요?"

어느 날, 학교 상담교사가 불렀다.

"네. 선생님."

"요새 그 애가 웃어요. 친구랑 이야기도 해요. 놀라운 변화예요. 집에서도 전화가 왔어요. 전보다 거실에 나와 있는 시간이 늘었다고, 말도 한다고."

"그래요? 다행이네요."

"무슨 일이 있었어요?"

"아니요. 저가 특별히 한 건 없어요."

특별하게 한 게 없었다. 그 아이가 원하는 대로 따라간 것 외에는. 특별한 기법이나 치료를 한 것도 아니다. 그저 기다려줬고 귀 기울여 들었다. 버팀목 역할만 했다. 스스로 일어날 수 있기를 기다려 준 것뿐이다.

어느 날 아이가 고백했다.

"선생님. 고마워요."

"뭐가?"

"선생님은 달랐어요. 그냥 달랐어요."

"뭐가 달랐는지는 모르겠지만 네가 그렇게 느꼈다면 그렇겠지!"

"선생님."

"그래."

"저 대학 가려고요!"

좀 도와달라고, 손잡아달라는 표현을 자해로 표출하고 자살 시도까지 했던 아이가 이제는 대학에 간단다.

"선생님. 제 마음대로 할 수 있어서 상담 시간이 부담스럽지 않았어요. 그전에는 자꾸 캐묻는 것 같아 더 말하기 싫었거든요. 저가 무슨 범죄자도 아니고, 근데 선생님은 제 마음대로 하래요. 뭐지? 싫었어요. 관심이 없었어요. 잠시뿐이겠지 했죠. 근데 아니더라고요. 그리고 선생님."

"그래."

"선생님께서 저한테 했던 말 기억나세요?"

"무슨 말?"

"네가 말하고 싶을 때까지 기다려주겠다는 말."

"그럼!"

"저가 듣고 싶었던 말이었어요. 들어준다고 하지만 저 말을 끝까지 듣지 않고 훈계만 했어요. 이래라 저래라는 것뿐이었어요. 선생님 제가 하고 싶은 말을 들어주셔서 고맙습니다."

누가 자살 위험도가 높은 아이라고 믿겠는가? 아이는 친구들과 잘 지냈고 대학교에 입학했다는 소식을 들었다. 그저 들어준 것뿐인데 그 아이는 새로운 삶을 도전했고 잘 헤쳐나가고 있었다.

그냥 들어주세요.

어떤 해결책을 제시해 줘야 한다는 마음을 내려놓았으면 합니다. 중간에 끼어들어 내 경험이 이랬네, 저랬네 등 당신의 삶을 이야기합니다. 그 말을 듣고 싶은 것이 아니라 자기 말을 들어달라는 것 아닐까요? 해결책보다 자신이 겪어본 바에 의하면 이런 면이 좋았고 저렇게 했더니 좋지 않았다는 정도만 해 주세요. 우리는 잘 듣지 못합니다. 듣지 못해서 공감도 어렵습니다. 말하는 동안 본인이 정리되도록 들어주는 것. 그렇게만 해 주셔도 말하는 이는 해결됐다고, 도움이 됐다고 할 겁니다. 왜냐하면, 정답은 본인이 알고 있거든요. 검증받고 싶고 위로받고 싶을 뿐 들어주기만 해도 본질이 보입니다. 그 역할만 해주세요. 당신만이라도 입보다 귀를 열어 주면 좋겠습니다.

친정엄마, 측은한 맛

"귀연아, 지금 올 수 있니?"

엄마 목소리에 힘이 없었다. 뭔가 예감이 좋지 않았다.

"엄마, 뭔 일 있어?"

그 말에 어린아이처럼 서럽게 우셨다.

노총각 아들 밥 챙겨줘야 한다며 불편한 몸이지만 버티며 생활해왔다. 무거운 돌덩이가 짓누르듯 일어나기가 버거워 그만 옷에 오줌을 눴다. 다리 사이에 뜨거운 것이 흘려 내린 것을 홀로 느껴야 했다. 혼자 감당하기엔 당신의 몸 상태에 심각성을 느꼈던 거다. 어떻게 할 수 없기에 도움을 요청했다. 오빠가 집에 오기 전에 해결하고 싶었던 거다.

몇 개월 후 파킨슨병이라는 진단으로 요양병원에 입원했다. 움직이지 못한 상태라 여러 장기에 탈이 나기 시작했다. 병원에서 긴급 호출이 왔다. 의사 선생님 말씀으로는 환자가 옆구리가 아프다며 호소하여 진료했는데 큰 병원에 가봐야 할 거 같다고 했다. 종합병원으로 이동한 후 정밀검사해 보니 담석증이라 하여 수술을 했다. 식도가 좁아져 코에 호스가 꽂혀있었다. 마음이 찡했다. 정신을 차린 당신이 인생이 허무하다며 한숨을 내쉬는 모습을 보니, 자식 마음도 편치 않았다. 문득 엄마가 좋아하는 잡채가 생각났다.

"엄마, 호스 제거하면 맛있는 잡채 해 줄까?"

"싫다."

고개를 저으신다.

"엄마, 그때 생각나?"

"언제?"

"큰애 임신했을 때 조산기가 있어 2주 동안 병원에 꼼짝도 못 하고 누워있었잖아."

"그랬지."

"조산기만 있었지 아픈 데는 없어서 먹고 싶은 게 얼마나 많던지, 그때 엄마는 잘 먹어야 한다며 잡채도 해 오고 조기도 구워오고 했잖아."

"그랬니? 잘 모르겠다."

"얼마나 고마웠는지 몰라. 그때 받은 거 갚으라고 엄마가 누워 있는 거 같은데"

"싱겁기는"

엄마는 정은 많지만, 표현은 거칠다. 살이 빠진 거 같으면 걱정된다는 말보다 잔소리를 해댔다. 아프면 자기만 서럽다는 등 목청이 좋아 귀가 얼얼할 정도였다. 그런 사람이 삶의 끈을 놓으려고 했다.

새로운 요양병원에 입원했다. 온몸이 굳어 요양사가 혼자 목욕시키기가 버겁다며 함께 목욕해 주길 요청했다. 그리고 매주 주말에 방문해서 목욕 했다.

누워있는 몸을 일으켜 세우는 것도 휠체어에 앉히는 것만으로도 땀이 났다. 욕실에 가면 비눗물에 자꾸만 의자가 밀려 내려갔다. 그럴 때마다 다시 제자리에 앉을 수 있도록 요양사와 함께 끌어당겼다. 목욕을 다 하고 나면 누가 목욕을 한 건지 온몸에 땀이 나고 안경알은 앞을 볼 수 없었다. 허리가 아프고 아이고야 곡소리가 절로 나왔다. 그저 가만히 있어야 하는 엄마는 얼마나 괴로울까?

딸내미가 힘든 걸 보니 안 되겠다 싶었는지 엄마는 재활 운동을 시작했다. 매일 오전 10시부터 2시간 동안 운동을 하고 오셨다. 꼼짝도 못 해 숟가락으로 직접 밥을 퍼먹지 못했는데, 지금은 주먹도 쥐고 옷에 묻힌 것도 닦는다. 그리고 다시 잔소리가 늘었다. 듣기 싫었던 그 잔소리가 어찌나 반가운지 기력이 있어 보여 행복했다.

운동 덕분인지 식욕도 좋아졌고 요구 사항이 많아졌다. 죽 먹는데 김이랑 같이 먹으니 맛나더라, 그때 사 온 롤케이크를 먹고 싶다, 어지러운 게 곰탕 먹으면 기운이 날 것 같다 등 식욕이 생기면서 잘 드셨다. 화색이 좋아지고 앙상했던 몸이 살이 쪄서 보기가 좋았다.

매주 병원을 방문하다가 바쁜 일도 있었고 감기에 걸려 3주 만에 병원에 갔다. 당신은 누워있다, 딸을 발견하시곤 얼른 오라며 손짓을 보냈다. 왜 이제 왔느냐, 무슨 일 있었느냐 등 걱정스러운 보따리를 풀어놓았다. 가벼운 수다가 오고 갔다.

"저기 빌라 보이지?"

"응."

"저기 부부가 매일 싸워."

"보여?"

"그럼. 매일 싸워서 잠을 못 잔다."

침대 옆에 창문이 있다. 창문 밖으로 세상을 본다. 당신만의 세상에서 본 세상은 현실과 맞지 않았다.

"그리고 너 오빠 집이 3채인데 중국 여자랑 결혼한다고 집을 팔았어."

"엄마, 어디서 들었어?"

"오빠가 병원에 왔는데 저 멀리서 나를 유심히 관찰하더라. 그래서 오빠한테 물어보니 저 애랑 결혼할 거라고 하더라!"

초기 치매 증상이 보였다. 먹는 것에 집착하고, 같은 병실에 있는 분을 의심했다. 자고 있는데 누가 머리카락을 잘라서 이 모양이 되었다고 억울해했다. 요양사가 아니라고 아무리 설명해줘도 귓속말로 이렇게 말했다.

"둘이 한패야."

제주도에 태어나 육지 남자와 결혼하겠다며 상경해서 만난 남자가 아빠였다. 도망치고 싶어도 자식들 눈에 피눈물이 날까 참고 살아왔었다. 가정에 충실하지 못한 아빠에게 기대하지 않았다. 자식만 바라보며 살다 보니 장남인 오빠에게 많이 의지 했다. 마음속 남편은 아빠가 아니라 큰오빠였다. 장가 안 가서 걱정이다 하셨지만, 데이트라도 한다 싶으면 전화해서 왜 아직 오지 않느냐며 잔소리를 했다. 아들에게 버려질까 불안해했다. 병실에 누워있지만, 큰아들밖에 없었다.

여자의 인생으로 보면 측은했다. 남편의 품에서 보호받고 사랑받으며 사는 인생을 꿈꾸며 상경했을 것인데, 갖은 풍파를 혼자 견디면서 살아온 삶이 안타까웠다. 어릴 적 일찍 부모를 여의고 친척 집에서 눈칫밥을 먹고 자란 엄마. 자신을 많이 아껴주는 남자와 살고 싶었던 꿈이 큰 욕심이었나. 힘들 때 손잡아주고, 예쁜 옷보면 길에서 주웠다며 뚝 던지는 속 깊은 남자를 만나 사는 것이 그렇게도 어려운 일이었나 보다.

자식들을 하나둘씩 떠나보내고 이제는 마음 편히 쉴 시기에 파킨슨병이 왔고 초기 치매까지 왔다. 돌이켜 보면 당신 인생의 행복한 순간은 지금인 거 같다. 몇 년의 병원 생활을 해도 어느 자식 하나 불평하지 않았다. 외로울까 싶어 자주 찾아가 말벗이 되어주고 먹고 싶다면 얼른 싸 와서 당신 입에 들어가는 걸 보며 자식들은 행복해했다.

편히 주무시고 있는 모습을 보면 이런 마음이 든다.

엄마.

당신의 희생이 있었기에 우리 가족은 온전히 지켜졌습니다.

당신이 없었다면 우리 남매는 뿔뿔이 흩어져 어떤 삶을 살았을지 상상만 해도 끔찍합니다.

여자의 삶이 아니라 엄마의 삶으로 우리를 품었습니다.

호통치고 귀가 따갑도록 잔소리하던 당신의 모습이 그립습니다.

이제는 당신만의 세계에서 마음껏 상상하세요.

그것이 행복하다면 뭔들 어떻습니까.

가시는 그날까지 당신 곁에서 저가 지켜드리겠습니다.

우리를 위해 지켜준 희생을 배웠기에 실천하겠습니다.

지금 바라는 건 당신이 환하게 웃는 모습

그것뿐입니다.

사랑합니다.

남아있는 시간 동안 좋은 추억 많이 담아 가세요.

그래도 인생이 살 만했네.

자식이 날 이렇게 좋아해 주고 아껴줘서 좋다.

좋은 기억만, 행복했던 것들만 담았으면 합니다.

아픈 기억은 삭제하고 가셨으면 좋겠습니다.

여전히 환한 미소와 두 팔 벌려 맞이해 주는 당신이 있어

세상 사는 맛이 납니다.

살아생전에 잘해라 돌아가시면 후회한다 말을 듣습니다.

맞는 말입니다. 부모님이 즐겨 먹던 음식을 보면 잘해 드리지 못해 후회합니다.

내 자식이 상처를 줄 때면 부모님 생각이 납니다.

힘든 일로 전화할 때면 부모님 목소리만 들어도 울컥합니다.

그만큼 큰 분이십니다.

그분이 계셨기에 따뜻한 밥을 먹을 수 있었고,

어디서 맞고 오면 속상해하셨으며,

아프면 가슴 조이며 걱정해 주셨던 분이십니다.

이제는 당신이 부모님께 관심 가져주고 말벗해 주는 큰 분이 되면 어떨까요?

민감한 맛을 알아채다

TV를 보면 요리사나 연예인이 완성된 요리를 맛보고 어떤 재료가 들어갔는지 맞혀보는 프로그램이 있었다. 음식에 집중하고 혀끝에서 느끼지는 고유의 맛에 민감해야 알 수 있다. 식자재가 가지는 특유의 맛을 알아야 맞출 수 있는 것처럼 자신이 어떤 맛에 민감한지 알아야 한다.

밤 10시는 혼자만의 시간이다. 습관처럼 노트북을 켰다. 화면을 뚫어지게 쳐다봤다. 마우스를 클릭하기가 싫었다. 시원한 물이 식도를 지나 가슴을 적실 때까지 한숨이 나왔다. 손으로 턱을 괸 체 글을 쓰기 시작했다. 힘든 일과가 생기면 생활 전반에 많은 지장을 주는 건 뭘까? 어째서 사람들의 반응에 예민할까? 왜 칭찬을 듣는 날이면 유달리 들뜰까? 자기 분석이 시작되었다.

그랬구나. 그거였구나.

인정 욕구가 강했던 거였다. 어릴 적 겁이 많았다. 소침해서 큰소리가 나면 가슴이 뛰었고 언니 반만 되라며 비교당하면서 자랐다. 몸은 성장했지만, 마

96

음은 여전히 어린아이처럼 위축되고 겁 많은 소녀였던 거다.

청소년기에 접어들면서 부모님께 인정받기 위해 노력했다. 싫어도 내색하지 않기, 거절하지 않기, 말 잘 듣기 등 부모님이 '예쁘다'라는 말을 듣기 위해 애썼다. 애쓴 만큼 보상심리도 컸다. 착한 아이 변신은 제법 성공적이었다. 그러다 보니 타인 평가에 민감했다. 잘한다는 소리를 들으면 인정받았다는 우월감이 생겼고, 반응이 좋지 못하면 자기비판을 했다.

철이 들면서 무엇을 위해 달리고 있는지, 행복을 느끼는지 방향성을 알아야 했다. 무작정 가다 보면 지치고 포기하게 된다. 본인의 맛을 모르면 힘만 들 뿐 진정한 본연의 맛이 나지 않는다.

성공의 정의는 사람마다 다르다. 돈 많이 버는 것이 성공일 수 있고, 명예를 얻는 것이 성공일 수 있다. 급변하는 시대에 본연의 삶의 방식과 개인차를 인정하지 않는 자본주의적인 표현이 편하지만은 않다. 실패 시 자신을 탓하고, 반복될수록 무력감에 빠지고, 용기가 낮아졌다.

금수저, 은수저, 흙수저 등의 등급은 내가 선택한 것이 아니다. 가난하다고 불행할까? 부자면 다 행복할까? 소소한 행복도 느끼지 않고 앞만 보며 가는 인생. 건조할 뿐이다.

결과론적인 평가에서 벗어나기로 했다. 그래서 인정받고 싶은 욕구와 친해지기로 했다. 만족할 때는'너 오늘 좀 하더라', 만족스럽지 못할 때는 '수고했어. 열심히 한 것 알아. 이만하면 괜찮다.'

"안녕하세요. 좋은 아침입니다. 저가 자화자찬을 잘해요. 그래야 힘이 나거든요. 오늘도 열심히 달려보겠습니다"로 강의를 시작한다.

"저 예쁜 거 아니깐 그 말은 빼고 소감 나누기해요"

집단교육 참가자는 어이없는 표정을 짓기도 했다. 하지만 그 말을 듣고 싶어서 했다. 인정욕구와 친구가 되기로 약속했기에 한다. 웃기는 것이 자아도 취적 발언을 하면 다들 웃었다. 그러면서 다른 분들도 따라 했다.

자신의 욕구를 인정하고 받아들이는 연습. 수긍하는 데 시간이 필요했다. 칭찬해 주면 좋고 그렇지 않으면 그냥 넘기기로 했다. 이 연습을 한 후 변화된 것이 있다면 안 좋은 감정이 머무는 시간이 짧아졌다는 것이다.

"참 잘했어요."

늘 들어도 좋다. 하지만 그때의 직감은 본인이 더 잘 안다. 살다 보니 좋다고 다 좋지 않고, 나쁘다고 해서 다 나쁘지도 않았다. 어떤 부분에서 민감하게 반응하는지만 알면 됐다. 어떤 재료든 과하면 안 좋았으며 적당해야 했다. 요리법에 따라 많이 넣어야 하는 것도 있었고 적게 넣어야 하는 것이 있었다. 적절히 조절하면서 삶을 요리할 때 제법 재미났다. 하면 할수록 요리 실력이 느는 것처럼 인생요리가 그렇다.

남의 평가에 으쓱대지도 기죽지도 마세요. 어떤 것에 민감한지 살펴보세요. 무시를 당하는 것, 인정받지 못했을 때, 권력의 힘으로 비참함을 느꼈을 때 등 어떤 것이 나를 힘들게 하는 요소인지가 중요합니다. 알면 어떻게 하면 되느냐고요? 친구 맺기를 하세요. 위로도 해주고 충고해 주는 그런 관계. 그러면서 살살 달래야 합니다. '좀 쉬자' 그리고 '차 한 잔하자' 재치 있게 대 놓고 인정하시면 돼요. 조절이 안 되면 '허허' 웃음 짓는 여유. '오늘은 멈춤과 직진 조절이 잘되지 않는군.' 하면서요. 완벽히 조절되지 않지만 때때로 그것이 새로운 맛으로 탄생할 수 있습니다.

묵은 맛이 정답다

 몇 주 동안 **빽빽**한 일정으로 정신이 없었다. 상담 일정과 강의가 몰려 있었다. 태생적으로 성대가 약한 데다 갑상샘 약까지 먹고 있어 무리한다 싶으면 어김없이 몸에서 반응이 왔다. 목요일부터 피곤함에 찌들어 온몸이 물에 젖은 솜처럼 천금 만큼 무거웠다. 정신력으로 버텼지만, 금요일 저녁에는 병원 진료를 받아야 했다. 목이 붓고 눈에는 알레르기 증상으로 눈물이 하염없이 흘러내렸다. 주사 한 방 맞고 약을 먹으니 나른해졌다.

 봉지엔 처방된 약으로 가득 찼다. 주말에는 쉬자. 그래야 다음 일정에 지장이 없다. 힘든 기색을 하며 잠시 소파에 누웠다.

 "몸도 안 좋은 데 일찍 자라."

 남편이 웬만해서는 신경 쓰지 않는데 걱정이 되긴 했나 보다.

 "알았어. 이거 마무리만 하고 잘게."

 "그만하고 자라."

남편은 경상도 남자라는 핑계로 상냥한 말을 못 한다. 그저 '자라'는 말이 최고의 표현이다. 일을 미루지 못하는 성격 탓에 저녁밥도 차리고, 밀린 일들도 대강 마무리 짓고 침대에 누웠다. 남편은 밤에 일이 있어 곁에 있어 주지 못했다. 아빠를 대신에 막내딸이 엄마랑 자겠노라며 눈에 힘을 주었다. 감기 때문에 오지 말라고 해도 기어코 같이 자겠다는 막내딸의 지극한 효심? 으로 같이 누웠다.

아픈 모습을 보고 나가서 그런지 다음 날 아침 남편이 빵을 싸 들고 왔다.

"괜찮나? 일어나서 빵 좀 먹어봐라."

"좀만 누워 있을게."

"빵이라도 먹어야 약도 먹지. 얼른 나와."

무뚝뚝한 목소리이지만 마누라 생각하는 마음은 느낄 수 있었다. 본 건 있어서 빵을 먹기 좋게 가위질하고 컵에 우유를 부었다. 입맛이 까칠했지만 사온 성의를 봐서 몇 점 먹었다.

오전 내내 힘에 부친 탓에 누워있었다. 잠깐 일어나 남편과 TV를 봤지만, 머리 위에 돌덩이가 짓누르듯 힘들어 다시 잤다. 토요일 오후 상담이 잡혀있었는데 일정을 연기했다. 감기 옮길까 걱정되기도 했고 이 상태로 상담을 진행하는 건 아니라는 마음이 들었다. 오후 3시 넘어서까지 누워있으니 더욱 쳐지고 머리까지 아파졌다.

안 되겠다 싶어 벌떡 일어났다. 소파에 앉아있는 남편에게 다가가 말했다.

"자기야, 나 맛있는 거 먹을래. 먹고 기운 차려야 할 거 같아."

"그라자. 뭐 먹고 싶은데."

"수구레국밥, 다른 것도 괜찮고."

"그래, 가자. 준비해라"

이전에 먹었던 수구레국밥이 먹고 싶었다. 따뜻한 국밥 위에 둥둥 떠다니는 기름이 자꾸만 생각났다.

막내딸과 함께 현풍을 가기로 했다. 차 안에서 막내딸에게 수구레가 뭔지 설명해 줬다. 막간을 이용해 딸은 가방 속에 있던 블루투스 스피커를 꺼내 와서는 어떤 노래든 신청하면 틀어주겠다며 디제이로 변신했다. 한층 고조된 분위기에서 남편은 딸에게 말했다.

"영아, 현풍에는 수구레가 있고, 대구에는 어탕이 있어. 그 식당의 메뉴에는 도리뱅뱅이가 있는데 엄청 맛있더라!"

남편은 막내딸의 취향을 잘 알고 있었다. 막내딸은 시장 골목식당을 좋아하지 않는다. 수구레국밥은 재래시장에서 파는 음식이라 걱정이 되었는지 메뉴 선택할 수 있게 배려해 줬다. 브랜드를 좋아하고 식당도 분위기를 따졌다. 언니. 오빠는 우리 집의 돌연변이라고 할 정도로 멋을 중요시했다.

"정말? 도리뱅뱅이 먹고 싶어. 아빠."

딸이 먹고 싶다는 말에 우리는 어탕 집으로 방향을 틀었다. 그 집은 가격에 비해 어탕이 진국이고 몸보신에 적격이라며 부녀끼리 주거니 받거니 했다. 생긴 것도 판박이. 먹는 식성도 닮아 남편은 딸 바보가 됐다. 노는 걸 보면 웃음이 나왔다. 서로 놀리고 엉기며 위해주고, 가관이다.

"어탕 3개랑 도리뱅뱅이 주소."

몇 분 후 주인으로 보이는 분이 탕을 주시면서 고기를 많이 놓고 끓인 거라 몸보신에 좋다며 많이 드시라며 주고 갔다. 뚝배기 그릇에 시래기와 수제비가 들어있었고 숟가락으로 국물을 뜨니 푸짐한 건더기들이 먹음직스럽게 올라왔다. 세로 손잡이의 검은색 프라이팬 안에는 크고 살도 통통한 도리뱅뱅이가 원을 그리며 누워있었다. 구운 도리 뱅뱅 위에 빨간 양념이 맛깔스럽게 보였다. 한가운데에 굵게 썬 고추와 마늘을 보니 입맛을 자극했다.

"아빠~ 도리뱅뱅이 맛있어. 머리 쪽이 더 맛있어."

"맛있지. 괜찮나?"

남편은 입맛에 맞을지 걱정이 되어 물어봤다.

"맛있어. 씹을 거 있네. 고마워. 자기야."

"많이 먹어라. 먹고 얼른 기운 차려라. 약해 빠져가 어디에 쓸고!"

누가 보면 꾸중하는 말투다. 20년 넘게 살아서인지 무뚝뚝한 말이 정답다. '아프다, 피곤하다, 힘들다' 하면 저질 체력이다, 약해빠졌다. 옛날에 태어났으면 어떻게 할 뻔했겠나 등 구박처럼 들리는 말들을 한다. 남편표 특허 애정 법이다. 좋은 말로 해 보라고 하지만 굳이 말로 표현해야 하냐며 변하지 않는다. 참 일관된 사람이다. 다정다감한 남자와 사는 건 이번 생애는 없는가 보다. 그러면 이 남자 잘 데리고 살아야 하지 않겠는가! '달걀로 바위 치기'겠지만 흔적은 남고 냄새는 배길 거니깐 그걸로 위안 삼자.

음식이든 사람이든 오랫동안 함께한 것을 좋아한다. 금방 알게 된 사람보다 오랜 시간 함께 한 사람이 좋다. 편안한 것도 있지만 많은 시간을 함께하면서 그 사람 있는 그대로의 모습을 알아가는 게 좋다. 가식적이고 잠깐의 호의의 맛은 감칠맛이 나고 자극적이나 뒷맛이 깔끔하지 않다. 투박해도 감칠맛이 덜해도 천연의 맛은 질리지 않는다.

음식도 묵은 김치, 된장, 집 간장, 젓갈, 장아찌 등 배합과 시간이 필요한 음식을 좋아한다. 이런 음식들은 기다림도 있고 숙성되는 동안 맛이 바뀌기도 한다. 번거롭지만 두고두고 먹어도 질리지 않고 만만하여 어떤 음식과도 잘 어울린다.

버킷리스트 중 하나는 마음과 배가 굶은 이에게 따뜻한 밥 한 공기 대접하는 거다. '상담'이라는 틀에서 이루어지는 것이 아니라 엄마가 자식에게 해 주는 따뜻한 밥상. 귀한 손님에게 정성스럽게 대접하는 마음으로 함께 밥을 먹고 살아가는 이야기를 나누면서 마음도 배도 채워지는 밥상을 차리고 싶다. 멸치육수에 집 된장을 넣고 무, 청양고추, 양파, 버섯, 쇠고기 넣은 후 마지막에 호박, 두부 넣고 한 번 더 끓으면 된장찌개 완성. 거기에 묵은 김치, 각종 장아찌에 갓 지은 밥 한 공기. 진수성찬이 부럽지 않다.

방금 요리한 음식은 맛있습니다. 매끼 새로운 음식을 만들어 먹으면 하는 사람도 먹는 사람도 행복합니다. 인생도 새로운 걸 경험하면 짜릿합니다. 일상에서 벗어나 새로운 것을 도전하는 건 멋진 일이지요. 그런데요. 매끼 새로운 음식을 해 먹으면 좋기는 하지만 힘들지 않으세요? 새로운 것만 추구하다 지치지는 않으셨어요? 나만의 캐릭터를 찾아 몰입하고 관심 두고 가꾸는 시간은 절대 손해 보는 일은 아닐 겁니다. 새로운 것에만 쫓아가기보다는 자신이 뭘 원하는지, 어떤 일을 할 때 행복한지, 또는 이전부터 해 보고 싶었던 것은 어떤 것이 있었는지 도전해 보는 거. 그것이 내 인생을 잘 숙성하는 과정이 아닐까요?

제3장
재료의 종류보다 요리법이 중요하다

양파, 감자, 당근, 파, 마늘은 기본적인 재료다.

기본 재료에 김치 넣으면 김치찌개가 되고,

식용유만 있으면 김치전을 만들 수 있다.

같은 재료라도 어떻게 요리하는가에 따라

다양한 음식을 연출할 수 있다.

우리 인생도 같은 재료지만

어떻게 요리하는가에 따라 인생 메뉴는 달라질 수 있다.

콤플렉스, 성장의 맛

"선생님~~목소리에 강약으로 힘이 들어가서 듣기는 괜찮은데 딱딱한 느낌이 들어요."

"그렇죠. 그런 피드백 많이 들어요."

"그래요? 유연하게 진행하시면 훨씬 편안할 거 같아요."

초등학교 집단 프로그램을 진행하면 담당 선생님도 함께 참석한다. 전반적인 집단 진행을 평가하고 학부모 반응을 살피기 위해서다. 학교 측의 요구는 학부모들과 편안한 관계를 맺고 부드럽게 진행을 하는 것이다. 그러나 긴장되거나 컨디션이 난조일 때 종종 딱딱하게 전달되곤 했다. 의식할수록 더 경직되는데, 그 이유는 바로 발음 콤플렉스 때문이다.

어릴 적 혼자 있는 시간이 많다 보니 긴장감이 들면 말을 더듬었다. 그 시절에는 자음과 모음, 문법 등을 학교에서 배웠다. 다른 친구들은 제법 학습을 잘 따라가는 것 같은데 혼자 전전긍긍해서 선생님과 눈 맞춤을 피했다. 어디 가든 투명인간 같은 존재였다. 그러다 보니 또래 아이보다 말을 잘 못 했고, 추궁하는 말투를 들을 때면 겁을 먹어 발음이 꼬이고 더듬거렸다. 그럴 때마다 부모님은 꾸중했다. 야단과 질책 속에서 자신을 지켜내기 위한 방법으로 선택한 것이 '말하지 말자'는 것이었다. 될 수 있는 대로 말을 하지 않았다. 말수가 없는 아이, 친구들에게 먼저 다가갈 줄 모르던 아이였다. 마음 편히 이야기를 나눌 수 있는 친구는 종이 인형뿐이었다. 그 친구에게는 당당하게 표현했다. 그게 가장 편했고 좋았다. 종이 인형이 너덜너덜해지는 건 시간문제뿐이었다.

언제부터가 혀가 짧다는 말을 들었다. 즉, 발음이 정확하지 않다는 거다. 그러다 보니 자신감은 더 떨어지고 어둔해졌다. 화가 나 소리 지를 때면 '너 무슨 말을 한 거니?'라고 했다. 또다시 의기소침. 중학생이 되면서 소리 내서 책을 읽었고 말을 할 때 정확하게 말을 하려고 노력했다. 자연스럽게 대화하듯이 말하는 것이 아니라 연설문 같은 말투로 대화를 나눴다.

말을 정확하게 전달해야 한다는 압박감 때문인지, 특히 남들 앞에서는 자연스러운 대화보다 딱딱한 어투의 대화가 오고 갔다. 친한 사람을 만나면 자연스럽고 편안하게 말을 하지만 낯선 사람이나 강의를 할 때는 발음에 신경 쓰다 보니 편안한 느낌을 낼 수 없었다.

"저는 긴장을 하거나 입이 풀리지 않으면 말이 어둔해지고 발음이 꼬입니다. 가끔 혀 짧은 소리를 내더라도 이해해 주세요."라고 말한다. 당당히 콤플렉스를 드러내며 말하지만, 완전히 수용하는 데는 시간이 필요할 것 같다.

지금 근무하는 곳에는 언어재활사가 있다. 말을 할 때 언어재활사가 미세하게 눈썹을 움직일 때면 위축되고 조심스러워졌다. 장난스럽게 '눈치 보여 말을 못 하겠다'며 직원들에게 말하지만 신경이 쓰였다. 계속 긴장된 상태로 말을 하니 더 꼬였다. 이럴 때면 소심해지고 자신감이 떨어지는 건 시간문제였다.

훌륭한 조벽 교수님도 그렇고 존경했던 교수님도 정확한 편이 아니지만 자신감 넘치는 모습을 보면 발음이 문제가 되지 않았다. 이래야 하는데 라고 말은 하지만 마음은 한없이 작아졌다. 우울할 때면 든든한 지원군 딸에게 속풀이를 했다. 내 편이라 마음 편하게 하고 싶은 말 했다.

"딸~! 엄마 오늘 속상해."

"누가 우리 엄마 힘들게 해? 내가 가서 혼내줄까?"

어디서 많이 들어본 말이다. 웃음이 나왔다. 내 새끼가 울고 있을 때 자주 했던 말을 딸이 하고 있었다.

"엄마도 알고 있는데 발음과 관련해 이야기 들을 때면 아직도 마음이 아프네."

"엄마, 내가 객관적으로 말해줄게!"

딸이 객관적으로 말해 준다는 것에 또다시 새가슴이 됐다. 지원군마저 안좋은 소리는 듣고 싶지 않았다.

"그래. 살살 이야기해줘."

"엄마랑 산 지가 오래되어서 엄마 발음에 대해 크게 생각해 본 적은 없어. 그런데 엄마가 생각하는 거만큼 심각한 정도는 아니다. 엄마가 잘 못 하는 발음이 있기는 해. 하지만 고민할 정도는 아니야!"

"고맙네. 고민할 정도는 아니라고 해 주니."

"정 마음에 걸리면 연습해. 유튜브에 발음 교정하는 거 있을 거야!"

맞다. 걱정만 하고 특별히 노력은 하지 않았다. 머리로만 해야지 하면서 행동은 옮기지 않았다. 해 보자! 완벽하지는 않겠지만 나아지겠지.

가끔 어떤 선생님은 놀린다.

"선생님~쌀 해보세요."

"살, 잘하죠."

"살이 아니라 쌀요."

"살."

"씨름해 봐요."

"시름."

같이 웃었다. 쌍시옷의 발음과 몇몇 발음은 포기했다. 본인의 콤플렉스를 숨기려고 할수록 더 꼬였다. 상처도 공기를 쐐야 빠른 치유가 되듯, 콤플렉스는 숨기기보다 성장의 요소로 여기려고 했다. 숨기고 예민했던 어린아이에서 연필을 입에 물고 해결해 나가려는 어른으로 성장하려 노력 중이다.

부정확한 발음, 남들이 어떻게 볼까? 라는 마음을 내려놨다. 전달할 내용을 상대방이 알아듣고 이해하면 됐다. 가끔 속상할 때도 있지만 어찌하겠는가! 부품이 삐딱하게 박혀있지만 잘 다듬고 가야 하지 않겠는가.

알라딘 램프 요정이 3가지 소원을 들어준다면 한 가지는 분명하다. 부드러운 목소리에 분명한 발음을 달라고 했을 것이다. 공상이 취미라서 이런 생각을 하면 혼자 낄낄거렸다.

"발음만 좋았으면 유명 강사 다 죽었어!"

싱글벙글했다. 상상인데 뭐. 맘껏 즐겼다.

심리학자 아들러는 자신의 열등감을 극복하기 위해 노력한다고 합니다. 비고츠키는 어떤 것이 손상되면 그것을 보완하기 위해 다른 것이 발달한다고 합니다. 우리는 보이고 싶지 않은 부분이 있습니다. 어떻게 다루셨어요? 숨길수록 더 두드러지지 않던가요? 고군분투하지 않으셨나요? 무엇이 되었든 외면하면 할수록 색은 짙어집니다.

'나 이런 거 있어'라고 당당히 인정해요. 본인의 열등감이 생활에 영향을 준다면 미리 공개해 버리면 됩니다. 개방하면 별일 있을 거 같죠? 별일 없습니다. 만만해 보일 수 있다고요? 그걸로 만만해 보이지 않습니다. 오히려 사람 냄새, 인간미가 느껴져요. 전 평생 '쌀'을 '살'로 말할 겁니다. 내 인생에 인간미라 여기며 살렵니다. 편하고 좋습니다.

지레짐작, 확인이 필요한 맛

시작하자마자 헉헉거렸다. '그까짓 것'이라 여기며 쉽게 생각했다. 종아리는 모래주머니를 차고 가듯 무거웠다. 심장은 사랑에 빠진 것처럼 마구 뛰고 한 걸음 걸을 때마다 곡소리가 나왔다. 같이 걷던 친구가 웃으며 말한다.

"잠시 쉴래?"

어이없지만 지금의 상태로는 쉬어갈 센스를 발휘해 준 친구가 그리 반가울 수 없다.

"참 웃긴다. 몇 미터 걸었다고 이리 숨이 찬지".

"우리 나이엔 운동 안 하면 그래, 근데 넌 좀 심해."

친구의 말에 뭐라 대꾸할 변명이 없었다. 그저 무안해서 웃음만 나왔다. 자칭 저질 체력이라 떠벌리고 다니지만 걸은 지 몇 분 되었다고 손에 허리를 잡지 않나, 허벅지가 간질하다며 엄살을 부렸다.

봄을 맞이하여 갓바위에 가자고 친구가 제안했다. 산을 잘 탄다며 운전하는

110

내내 큰소리친 터라 힘들다 표현하기가 무안했다. 천천히 걸을 때마다 작전을 세워야 했다. 힘들어서가 아니라 풍경을 보기 위해 천천히 가는 거라며 친구를 납득시키며 걸었다. 앙상한 나뭇가지가 작은 꽃봉오리를 품고 있었다. 사람이 아무리 아름답다고 하나 자연의 아름다움은 비교할 수가 없었다. 벚꽃이 휘날릴 때 날아다니는 꽃잎을 바라보며 '와~'감탄사가 절로 나왔다. 바위틈에서 뿌리를 내리며 꽃을 피운 민들레, 이름 모를 꽃들을 보면 경이롭고 마음이 편했다.

즐거운 수다를 나누며 걷고 있었다. 부녀인 거 같은데 아버지 손 위치가 겨드랑이와 가슴 사이에 손바닥으로 꽉 밀착한 체 내려오고 있었다. 과장하면 거의 가슴 쪽에 가까웠다. 아무리 많이 봐도 초등학교 고학년 정도의 나이였다. 아버지는 싱글벙글 웃으며 손과 몸을 밀착하며 내려왔고 딸은 뭔가 짜증 내며 화가 난 듯했다. 사명감에 불타올라 그들에게 다가가 어떤 관계이며 지금 딸에게 하는 행위는 무엇인지 물어봐야겠다는 마음이 앞섰다. 부녀와의 거리가 점점 가까워지기 시작했다. 침 한번 삼기고 다가가려는 순간 멈칫했다.

딸은 오른쪽 팔에 깁스하고 있었다. 산에서 내려오는 길이 미끄러워 넘어질 세라 다친 팔을 잡을 수 없고 그렇다고 도움 없이 혼자 걷어 보라 하기엔 아버지가 불안했던 모양이다. 그러다 보니 아들은 누나 뒤를 졸졸 따라 걸어왔고 아버지는 화가 잔뜩 난 딸을 기분 좋게 풀어주려고 했던 거다.

한 장면만 보고 지레짐작을 했던 거다. 가정 내 성폭력일 수도 있지 않겠냐고 여겼다. 손 위치와 아버지의 표정만으로 혼자 연출하고 각본을 썼던 거다. 부녀가 내려가고 친구와 올라가면서 다시 뒤를 돌아봤다. 여전히 아버지는 자신의 엉덩이로 딸 엉덩이를 치며 웃고 있었다. 한 장면만으로 모든 것을 연관시킬 때 일이 커질 수 있다는 여운이 돌았다.

"친구야, 나 아까 내려오던 부녀를 상상했다."

"무슨 상상?"

"아버지가 딸을 해코지하는 것이 아닌가? 딸 가슴 부분을 대고 낄낄거리는 저 남자 위험하다"

그 말을 듣던 친구는 웃으면서 빨리 올라가자며 독촉했다.

우린 지레짐작을 많이 한다. 어제도 했고 오늘도 했으며 내일도 할 예정이다. 상대방의 입장을 알기까지 수많은 인지적 오류를 범한다. 사람 좋으니까 막 대한다, 좋은 거 좋다고 웃고 넘어가니 만만해 본다. 종업원을 불렀는데 들은 척도 안 한다 등 눈 깜짝할 사이에 평가를 한다. 어떤 상황이든 각자의 입장이 있음에도 불구하고 온전히 내 입장과 경험에서 결론을 짓는다.

나이를 먹으면서 지레짐작 맛은 정말 확인이 필요할 때가 많다. 자신이 살아온 삶은 좁고 정답이 아님을 알지라도 말이다. 나이가 든다고 해서 모두 어른이 되는 것이 아니다. 참 어른이 되려는 노력이 함께 되어야 하지 않겠는가?

둘째 아들이 고등학생 때 일이다. 아들이 다니는 학교에 갈 일이 있어 함께 버스를 탔다. 좌석이 많이 비어있었다. 아들은 운전석 바로 뒷좌석에 앉았고, 난 중간 지점쯤에 앉았다. 우리가 탄 후 다음 정류장에 한 할머니가 버스에 승차했다. 할머니는 아들 앞에 섰다. 아들은 자리가 없나 싶어 주변을 살펴보니 바로 뒤에 자리가 있고 곳곳에 비어있어서 자리를 양보할 필요가 없겠다 싶었는지 가만히 앉아있었다. 한 코스를 지나고 난 후 사건은 일어났다.

"아이고 다리야"

할머니가 아들을 쳐다보며 큰소리를 냈다. 아들은 무슨 생각이 들었는지 일어나지 않았다. 자식을 바르게 키웠다고 생각한 엄마 입장에서 아들의 행동을 짐작할 수 없었다. 보통 때 같으면 먼저 자리 양보하고 다른 곳에 앉을 녀석인데 안 일어났다.

"요새 애들은 어른을 봐도 자리 양보도 없고. 버릇이 없어 버릇이!"

큰소리를 내셨다. 그런데 제삼자의 입장에서는 할머니의 행동을 이해할 수 없었다. 뒷좌석에 자리가 곳곳에 비어있는데 왜 굳이 아들이 앉은 자리에 서서 언성을 내실까 싶었다. 그럴수록 아들은 끝까지 양보하지 않고 앉아있었다. 그 말이 듣기 싫어서라도 일어났을 거 같은데 끝까지 앉아 있었다.

"아이고 다리야."

할머니는 더 큰 소리를 내며 다른 좌석에 앉지 않으시고 아들이 앉은 자리에 서서 언성을 높였다. 우리가 가는 곳이 멀지 않았기에 곧 버스에서 내릴 차례가 됐다. 아들이 일어났다. 할머니가 앉을 거로 생각했는데 그 자리에 앉지 않으시고 다른 좌석에 앉았다. 뭐지?

버스에서 내린 후 궁금해서 물어봤다.

"아들, 할머니가 앞에서 큰소리치던데 넌 끝까지 앉아 있더라! 엄만 좀 놀랐는데"

"엄마. 난 나이가 많다고 권리만 내세우는 어른을 보면 화가 나. 처음에는 할머니가 내 앞에 서 계셔서 자리가 없나 싶어 양보하려고 했는데 뒤 자석도 그렇고 노약자석도 비어 있었는데 막무가내식으로 무조건 자리를 양보하라는 식의 행동에 난 대응하기 싫었어."

아들 말이 틀리지 않아 뭐라 대답할 수 없었다. 그 광경을 지켜봤기에 더욱더 할 말이 없었다. 비록 아들에게 그래도 그러면 안 된다고 했지만, 할머니의 행동을 이해할 수 없었다.

버스 안에서 모든 광경을 지켜본 사람들은 아들의 행동을 어떻게 짐작할까? 어떤 이는 버릇이 없다고 생각할 것이고, 다른 이는 할머니가 억지 쓴다고 느낄 수 있다. 결과만 봐서는 어른께 양보하지 않는 건 좋은 행동은 아니다. 하지만 전반적인 상황과 아들의 입장을 모두 살펴봐서는 버릇없는 행동을 한 것도 아니다. 만약 아들이 아니라 다른 학생이 그랬다면 그 녀석 배짱 한번 좋다며 생각했을 것이다.

중요한 건 지레짐작이 진실로 둔갑하는 순간이다. 소심한 사람일수록 자존감이 낮은 사람일수록 왜곡된 지레짐작이 사실로 둔갑한다. 그것들이 쌓이다 보면 색이 입혀진 채 세상을 보게 된다. 색안경을 낀 체 세상을 보고 있는 그대로의 진실은 잘 보지 못하고 관계도 불편해진다. 궁금하면 물어보고 오해 소지가 있으면 확인해보면 쉽게 해결할 수 있는데 그렇지 않다. 왜냐하면 '내 생각이 정답이기 때문이다' 자신이 중심이며 객관적인 사실이라 우긴다. 그래서 우리의 기억은 온전한 기억을 담고 있지 않다.

오늘 지레짐작한 것은 무엇인지 떠 올려보세요.
그것이 맞나요?
사실이라 믿을 뿐입니다.
내 안에 선글라스가 짙으면
색을 입힌 그 모습으로 바라보고 이해하게 됩니다.
나이 듦에 따라 유연해야 합니다. 때론 비겁해질 수 있고
가끔 소극적일 수도 있습니다.
내 안의 내가 많듯 그때 그 상황에서 변해야 하지 않겠습니까?
오해가 번지지 않게 물어보는 센스.
현명해지는 방법이 아닐까요?

비교, 식중독 맛

상담을 할 것인가? 말 것인가? 갈림길에 섰던 2012년.

좌절 경험이 쌓일수록 자존감은 무너졌다. 공부한다고 집안일도 예전처럼 하지 못했다. 식구들에게 미안한 마음도 컸다. 방황했다. 앞으로의 방향성을 잡기 위해 선택한 것이 학회 주최 상담사 대상 집단상담이었다. 좀 더 객관적으로 현 상황을 살펴본 후 결정하는 것이 후회가 없을 거 같았다. 오전부터 저녁까지 2박 3일을 합숙하면서 상담이 진행되었다.

집단 리더는 00대학교 교수님이시자 정신 역동 전문가였다. 좋은 말씀보다 독설로 상처를 받을 수 있다는 소문을 들은 바 있어 심리상담사들은 몸을 사렸다. 언제 공격받을지 모르니깐 서로 눈치만 살폈다. 리더와 눈도 안 마주쳤고, 누가 먼저 말하는 집단원이 없다 보니 집단 역동이 이루어지는 데 시간이 걸렸다. 어디 가든 용감한 사람이 있듯, 집단원 한 명이 침묵을 깼다.

"이 시간에 저를 많이 개방해서 많이 배우고 싶습니다. 그러니깐 저는" 등 자신의 힘듦을 이야기했다. 듣는 내내 공감 가는 말보다는 뭐지? 무슨 말을 하고 싶은 거지? 라는 생각이 들었다.

그 집단원에 집단리더가 하시던 말씀이 기억난다.

"대체 무슨 말을 하고 싶은 겁니까?"

속이 후련했다. 듣는 내내 자기 자랑 등 무엇을 나누고 싶은 건지 요지를 알 수 없었다. 상담은 늦은 시간까지 이루어졌고, 다음 날 아침 9시부터 재개되었다. 겨울이다 보니 방바닥은 따뜻했지만, 공기는 방바닥 온도보다 낮았다. 조식을 먹고 잠시 휴식 시간이 있었다. 그 집단원이 말했다.

"아이~추워. 저기 창문 닫으면 좋겠는데"

자신이 직접 할 수 있는 일이었지만, 그는 다른 집단원을 쳐다보며 말했다. 어느 집단원도 일어나 창문을 닫지 않았다. 그러자 자기 말이 무시됐었다는 느낌을 받았는지 날카로운 목소리로 말했다.

"춥다고요, 창문 닫아 주세요."

누구보고 이야기하는 거지? 집단원은 기분이 나빴는지 아무도 대꾸하지 않았다. 왠지 하기가 싫었다.

"저기요. 창문 닫으세요."

"저요?"

"네. 가장 가까이에 있잖아요."

"닫은 것은 문제가 되지 않는데요. 추운 분이 직접 창문을 닫을 수도 있는데 왜 남에게 시키시는지 모르겠네요."

표준어는 화를 내도 목소리 자체가 부드러웠다. 경상도 특유의 악센트가 있어 화를 내지 않았는데도 목소리가 거칠었는지 왜 화를 내며 이야기하느냐며 언성을 높였다. 그때 집단 리더가 들어왔다. 분위기가 이상한 것을 감지하시고는 왜 그런지 물었다. 이런저런 설명을 하자 집단 리더는 그 집단원에게 사과를 하라 했다. 무슨 잘못을 했다고 사과하라는 거지? 싶다가도 분위기를 바꾸기 위해 했다. 그러나 그녀는 화가 안 풀렸는지 집단상담 내내 트집을 잡고 자신의 억울함을 표현했다. 다른 집단원이 불편함을 표현했는데도 불구하고 자신의 감정에 충실했다. 오전 활동은 어수선하게 마무리됐다. 점심시간 때 다른 집단원과 친해져서 사적인 이야기도 나누며 연락처도 주고받았다. 그녀에게 먼저 다가가 같이 점심을 먹자고 했는데도 대꾸도 없이 갔다. 최선을 다했다. 나머지는 그분의 몫이라 생각했다.

점심시간 후 집단원이 다 모였다. 시작하려고 했는데 현관문이 열려있어서 문을 닫았다. 그 모습을 본 집단 리더가 나를 향해 말했다.

"준 것 없이 미워"

그 말에 확 뭔가 뜨겁지만 아픈 감정이 올라왔다. 어릴 적 친척분이 했던 말이었다. 그 말이 내 마음속에서 떠나지 않았던 거라 집단 리더가 한 말씀은 한 방 얻어맞은 듯 아렸다.

언니는 머리도 좋지만 지는 걸 싫어했다. 한때 맞고 오면 내일 일찍 가서 그 애를 때리고 와야 직성이 풀렸다. 할 말은 하고 그만큼 행동에도 믿음을 줬다. 그러다 보니 인기가 많았다. 친화력이 뛰어나 아무나 잘 어울렸다. 언니는 고등학생1학년 이였고 나는 초등 3학년 때 일이다. 고모는 식당을 운영하셨다. 장사가 잘되어 제법 위풍당당하셨다. 성격이 호탕하시기도 했지만, 직설화법으로 주변 사람을 당황하게도 했다. 어느 날 언니, 오빠들이 고모 식당에 갈 일이 있었다. 언니가 먼저 도착해 고모와 즐겁게 이야기를 나누고 있었다. 그때, 내가 문을 열고 들어오는 것을 발견하고는 고모가 말했다.

"야는 준 것 없이 밉다. 너 언니 반만 돼라!"

다짜고짜 핵폭탄 같은 말을 들었다. 안 그래도 위축되고 숫기가 없었는데, 고모 말에 '준 것 없이 미운 아이'로 자리를 잡게 되었다. 언니가 고모한테 대하는 행동, 말투 모두가 부러웠다. 밥을 어떻게 먹었는지 기억도 나지 않았다. 어깨에 힘이 빠진 모습으로 집에 오면 엄마는 의기소침한 모습을 위로하기보다는 '어디에 써먹겠나'라며 꾸중했다. 엄마는 언니는 알아서 척척 하는데 너는 일일이 가르쳐줘야 하냐며 야단쳤다. 이래도 저래도 언니 그림자를 따라가지 못했다.

밀려오는 피해 의식은 성장하는 것만큼 같이 자랐다. 그러다 보니 날카롭고 예민해졌다. 누가 비교한다 싶으면 소리부터 질렀다. '하지 말라고, 다시는 안 할 거라고' 반항적인 행동을 하면 부모님은 버릇을 고치겠다는 명분으로 매질을 했다. 싫어! 왜 자꾸 비교하느냐고!

결심했다. 절대 비교하지 않으리라. 어린아이가 성인이 될 때까지 굳은 다짐을 가졌다. 절대. 절대! 아팠던 감정, 담고 싶지 않았던 말,

'준거 없이 밉다.'

집단 리더가 그 말을 했던 이유는 너무 잘하려는 행동이 미워서였기 때문이라 했다. 그저 편하게 행동하면 되는데 너무 타인을 의식하며 행동한 것에 지적해 주고 싶었다고 했다. 잘하려고 했다. 못난 모습이 드러날 때는 수치심을 느꼈다. 실수하면 쥐구멍에라도 들어가고 싶을 정도로 부끄러웠다. 그 감정은 나를 성장시킴과 동시에 좌절시키는 양면성과 같은 존재였다.

"리더님. 아무래도 저는 심리상담사로서 자질이 없는 거 같습니다. 이번 집단경험 후 상담심리사로 가야 할지 말아야 할지 선택을 하려고 했는데 결정이 분명해진 거 같아요."

마음이 착잡했다. 자신을 수용하지 못하고 용서를 하지 못한 모습에 좌절감도 느꼈다.

"아이고~ 답답해. 진작 심리상담사로서 그만둬야 할 사람은 생각도 안 하고 있고 해야 할 사람은 자질이 없다고 하니 아이고 답답해."

리더는 손으로 가슴을 치고 이리저리 좌우로 흔들었다.

"네? 저는."

"이 사람아. 왜 자질이 없어!! 자네가 진정 심리상담사가 되고 싶으면 대구에 정신 분석 전문가이신 ○○○한테 개인 상담을 받고 시작해. 그만둔다는 마음은 접고"

그 말이 뭐라고 위로가 되었는지 심리상담사를 해야겠다는 마음이 들었다. 못나도 잘나도 내 마음 그냥 그대로 인정해 주셨다. 구겨진 자존심에 물을 적시는 분무기가 되었다. 마음속 곰팡이처럼 퍼져있었던 것을 제거하기로 했다. 용기 내어 친정어머니께 이야기했다.

"엄마, 엄만 내 어릴 적에 언니와 왜 이리 비교했어?"

"내가? 무슨 소리 하고 있니?"

"엄마는 맨날 언니는 이랬는데 너는 왜 이랬나 하면서 비교했잖아"

"내가 그랬나?"

"응. 그때 생각하면 마음이 아파. 나름으로 열심히 한다고 했는데 엄만 칭찬보다 나무라기만 하고."

"살기 급급해서 그랬지. 그땐 돌아볼 여유가 어디에 있었니. 척척 알아서 하는 것이 예뻐 보이지 않았겠어."

"아는데 그 마음이 계속 남아있네! 엄마"

"지나간 세월 어떡하겠니."

"그냥 미안하다고 말해 주면 안 돼?"

"많이 상했나 보네. 우리 딸이 그런 마음이었나. 이리 착하고 효녀 딸한테 이리 말했나 보네. 미안하다 막내야."

진심 어린 엄마의 사과였다. 미안하다며 투박한 손길로 머리를 쓰다듬어 주셨다. 따뜻했다. 오래 묵힌 곰팡이가 실려 나갔다.

자신이 어릴 적 많은 들었던 말들이 무심코 자녀에게 불쑥 그리고 배우자에게도 나왔다. 싫었던 말이지만 익숙한 말이기에 필터링이 되지 않았다.

비교는 암세포다. 절대 내 아이한테는 하지 않겠다고 명심했다. 그러나 무심코 막내가 '언니와 비교한 적이 있다'고 했다. 조심한다고 했는데 어릴 적 듣고 자란 것이 완전히 없어지지 않는구나 싶었다. 조심 또 조심. 아픈 마음을 주고 싶지 않다. 비교당하며 성장한 터라 어떤 일에 주저하게 되고, 실패할 경우 원래 이렇지라며 스스로에 한계를 설정했다. 이제는 용기를 주고 싶다. 가만히 있어 후회하니 도전해 보는 거로. 왜냐면 난 나를 믿으니깐. 그 어떤 것도 비교할 수 없으니깐.

벼룩의 점프 실력이 대단하다 할지라도, 낮게 설치된 곳에 부딪히다 보면 더는 올라가지 않습니다. 못한다고 한계를 짓습니다. 더는 도전하지 않았습니다. 좌절 경험은 엄청난 사건입니다. 주춤하게 됩니다. 제발 자신의 능력을 몇 번의 실패로 한정 짓지 마세요. 그저 묵묵히 자신에게 집중하고 나아가는 것이 필요합니다. 어떤 일이든 절대조건을 달지 마세요.

리더, 무게감이 실리는 맛

　세상일은 아무도 모른다고 했던가? 지금이 그렇다. 이번 생애는 조직 생활은 없다며 호언장담했건만 47세에 실장직을 맡게 되었다. 프리랜서로 일할 때는 직원의 냉대함에 아쉬움이 있었고 2대 보험만 되는 일터에서는 상사의 역할에 안타까운 마음이 있었다. 임원이 된 지금의 관점은 확연히 다름을 느꼈다.

　간부직이 처음이라 아주 서툴렀다. 대표와 선생님들 간의 의견을 조정하는 역할은 그야말로 고래 싸움에 새우 등 터지는 것 그 자체였다. 전반적인 업무를 배워야 했으며 안에서는 직원과 밖에서는 아동 부모와의 관계를 신경 써야 했다.

　"윤 실장, 지금 어떤 상황인 줄 아십니까?"

　상사의 조급함을 받아들여야 했고

　"우리도 열심히 하는데 자꾸 이러시면 섭섭해요. 실장님."

치료사의 불만을 수용해야 했다.

"이런 일은 저한테도 알려주시고 진행하셔야 하지 단독으로 하면 안 돼요."

대표, 치료사, 사회복지사 모두에게 서운함, 불평, 분노 등 온갖 감정 표현을 들으며 일을 배워나갔다. 리더라는 자리 참 힘들구나! 라는 무게감에 압도되어 갔다. 미시적인 관점과 거시적인 관점을 두루 살펴봐야 하는 자리였다.

리더라는 자리에 있어 보니 직원들 특성이 보였다. 업무를 지시하면 자신이 왜 해야 하는지 권리 주장만 내세우는 직원을 볼 때면 인내심은 바닥이 났다. '좀 안다고 무시하네, 실장으로 인정하지 않겠다는 거지?' 등 온갖 부정적인 마음이 커졌다. 이전에 센터에 이용했던 아동 보호자도 새로 온 실장을 평가하는 것 같은 눈빛을 보였다. 이 또한 견뎌야 했다. 끼리끼리 모여 작게 잡담을 나누는 것을 목격할 때면 자격지심이 들었다.

'난 지금 여기서 뭐하고 있는 거니?'

같은 공동체에 있는 치료사들의 마음을 얻기 위해 불만을 토로하는 것부터 해결하고 싶었다. 인생이든 음식이든 설익은 것은 맛을 내지 못한다는 것을 알면서도 조급함이 앞섰다. 결론적으로는 실패했고 후유증이 컸다. 두 달쯤 회사에서 견딜 것인가 그만둘 것인가 심각하게 고민하는 날이 많아졌다.

가만히 눈을 감고 생각했다. 지금 이 난국을 어떻게 풀어나갈 것인가? 석사 휴학하면서 느꼈던 그 감정이 떠올랐다. 한참을 생각했다. 그때는 학생이었지만 지금은 리더다. 역할도 다르고 행동지침도 다르다. 그러나 공통분모는 어떻게 나아갈 것인가! 이다. 온갖 부정적인 피드백과 시선 그리고 평가받는 것에 자존감은 바닥이었지만 지금은 때가 아니다 여기서 끝낼 수 없다는 결론을 내렸다.

결정한 후 회사에 한 시간을 일찍 출근했다. 커피 한 잔을 들고 조직도를 뚫어지게 쳐다봤다. 센터장 다음 실장 그리고 사회복지사, 치료사가 있었다. 객관적으로 살펴봤다. 직책은 실장이었지만, 실장 역할을 못 하고 지금까지 말을 전달하는 중간 역할만 해 왔다. 뚜렷한 역할과 캐릭터가 없었던 거다. 일 배운다는 마음으로 줏대 없이 이리저리 눈치만 살피고 노심초사했음을 깨달았다. 올바른 이해가 되지 못했던 거다. 권위적이 아니라 권위 있는 리더가 되어야 한다는 도착점에 닿았다.

"여러분이 성실히 하고 있다는 것을 알고 있습니다."

라며 지금 상황을 간단명료하게 설명했다. 비슷한 주제이지만 난처한 상황을 연출하기보다 객관적인 보고를 들어가며 진행했다.

"이전에 실장님은 이런 경우 대표님한테 커트 쳤다 하던데."

"그 실장님이 어떻게 했는지 직접적으로 보셨는지요. 풍문으로 듣고 전달하는 것은 그만하셨으면 합니다. 그때는 그때고, 이제는 우리가 새로운 문화를 만들어가야 하지 않겠습니까?"

여전히 불만스러운 표정과 반응이었다. 끌려가지 않고 함께 나아갈 방안을 위해 큰 틀로 구상하고 세세하게 나아가야 할 것들에 대해 논의했다.

이제는 방향이다. 리더가 요리를 어떻게 하느냐에 따라 맛이 달라진다. 내가 상담하는 아이들은 대부분 특별한 아동이기 때문에 접근법이 달랐다. 어떻게 나아갈 것인가? 한 달이 지나고 두 달쯤이 되자 나침판의 방향이 잡혔다.

I want to live for_____

잠시 깜빡했다. 공부한 이유의 중심축을 망각한 채 만족도를 높이기 위해 아동 중심이 아니라 보호자 중심으로 진행했던 거다. 다시 시작하자.

아이의, 아이에 의한, 아이를 위한

아이가 행복하고 즐거워하며 마음껏 표현할 수 있게 만들어 주는 것이다.

비빌 언덕이 되어주는 선생님이자 어른의 역할을 하는 것이다. 그것이다. 몇 몇 부모님은 아이를 잡지 못하고 버릇없어진다며 취소한 분들도 있었다. 방향을 잡지 못했다면 자존심이 상했을 것이고 확신이 서지 못했을 것이다. 하지만 흔들리지 않았다.

몇 달 후 아동의 표정이 밝아지고 말이 많아졌다. 의심하던 보호자의 눈빛이 부드러워졌다. 센터에서 아동이 '선생님'이라며 큰소리 부르며 웃으며 달려온다. 참 좋다.

소탐대실. 회사 입장에서는 많은 아동이 센터를 이용하면 좋겠지만 아이의 입장을 고려해서 천천히 진행했다. 바로 눈앞의 이익을 위해 무모하게 밀고 나가지 않았다. 그런 태도가 오히려 신뢰를 주었는지 아이들은 나를 믿어주고 성장해 나갔다.

치료사들에게도 실장이라는 직책보다 편안한 사람으로 다가오도록 활짝 문을 열어주었다. 먼저 손을 내밀고 이성 교제, 결혼 등 개인적인 고민도 함께 들어줬다. 때때로 19급 농담을 던지면 같이 웃기도 하고 농담을 받기도 했다. 남친 사진을 보여주며 관상 좀 봐 달라고 하기도 하고 같이 화장품 가게에 가서 이거저거 골라주기도 했다.

그 결과 전보다 일의 효율성이 높아졌다. 나무가 아닌 숲을 보면서 상담을 진행하지만 갈 길이 멀었다. 사소한 문제들이 발생하기도 하고 기가 막힐 일들도 생기곤 했다. 두렵기도 했다. 아직도 샌드위치 역할에서 헉헉거리고 유니폼 속에는 사직서를 품고 있다. 나 자신이 비겁해 보이고, 가고 있는 방향이 옳지 않음을 자각하는 날 제출할 것이다.

공부할 때나 직장 생활을 하면서도 한결같은 것이 있다.

'후회 없이 최선을 다하자. 그거면 됐다.'

인정욕구도 힘의 욕구도 내려놓지만 공부하려고 했던 마음가짐, 그것만은 놓지 않고 나아갈 것이다.

자리가 사람을 만든다고 하지요. 겪어보니 그런 거 같습니다.

잠시 그 자리를 맡고 있을 뿐입니다.

지금의 대우는 당신에 의한 것이 아니라 자리로 인한 대우를 받는 것입니다.

조금 높은 지위에 있다고 자만하지 마세요.

 어떤 지위보다 당신 그 자체에서 발전하고 성장하셔야 합니다.

누군가는 당신의 발자취를 보며 간직하고 있을 것입니다.

기다림, 뜸이 필요한 맛

첫째가 심한 사춘기를 겪는 시기에 둘째도 같이 사춘기를 겪었다. 딸은 자신에게 공격했었다면, 아들은 행동으로 엄마를 힘들게 했다. 아들이 초등학교에 전학 온 후, 친구랑 싸우다 다쳤다며 학교에서 전화가 왔다. 어떤 날은 친구와 몸싸움으로 같이 넘어졌는데 혀 가장자리가 찢겨 나갔고, 높은 곳에 낙하하여 다치기도 했다. 벨 소리만 들어도 심장이 두근거렸다. 적반하장이라고, 같이 나쁜 짓 했던 한 어머니는 당신 아들 때문에 착한 아이가 이렇게 되었다고 역정을 냈다. 어이가 없었다. 하루하루 살얼음 위를 걷듯 아들의 일거수일투족을 조심히 살폈다. 병원에 같이 갈 때는 조심하라고 당부를 했고, 보상해준 날에는 걸으며 다친 마음에 반창고를 붙여주며 달래줬다.

수능 날만 되면 한파가 왔다. 아이들 마음을 대변해 주는 듯하다. 그날을 위해 12년간의 힘든 시간을 견디며 공부했을까? 아들의 수능 날이 생각난다.

"아들, 떨리지?"

"엄마, 나 안 떨었거든, 애들이 막 떨린다고 했을 때도 아무렇지 않았는데 내일 수능 본다 생각하니 갑자기 막 떨리네."

"그럼. 떨리지. 그냥 편하게 치자. 오늘은 일찍 자. 공부한다고 머리에 안 들어온다."

"알았어. 엄마."

수능 전날 긴장감을 풀어주기 위해 소소한 이야기를 나누며 누웠지만 잠이 쉽게 들지 않았다. 엄마도 잠이 오지 않는 데 아들은 오죽하겠는가? 걱정이 앞섰다. 수능 당일, 아들에게 아침밥을 권했다.

"아들! 일어나서 밥 먹고 가."

"밥?"

평상시에는 아침밥을 먹지 않고 학교에 갔다. 그러나 수능 날에는 도시락도 싸가야 했고, 정성 가득한 마음으로 든든한 아침을 꼭 먹이고 싶었다.

"시험 치는 데 빈속에 시험 치면 힘들어. 밥 조금이라도 먹고 가. 그래야 엄마 맘이 편해"

"알았어. 조금만 줘."

맛있게 밥을 먹은 후 남편이 수능 장소까지 아들을 태워줬다. 두 남자가 떠난 후 대강 상을 치우고 출근 준비를 했다. 출근하는 동안 평상시처럼 시험을 치고 왔으면 좋겠다는 기도를 했다. 일은 하고 있었지만, 마음은 아들과 함께 했다. 첫째가 수능을 친 날에 비해 마음이 편하지가 않았다. 뭐지? 왜 이리 불안하지? 계속 마음이 걸렸다. 아들에게 무슨 일 생긴 건 아닐까?

수능이 끝날 시간쯤에 데리러 가겠다고 했지만, 아들이 오지 말라고 해서 집에 미리 도착해 기다리고 있었다.

"아들~ 수고했다. 힘들었지?"

"엄마."

"그래. 문제 어려웠어?"

"그게 아니고."

"그럼?"

"평상시에 아침밥을 먹지 않다가 엄마가 먹고 가라고 해서 거절하기가 좀 그래서 먹었는데."

"근데?"

"1교시에 배가 아파서 죽는 줄 알았다."

"진짜? 그래서 어떻게 했니?"

"참다 참다 안 돼서 감독관에게 이야기했더니 선생님과 같이 가서 화장실 갔다 왔어."

"어떡하니 미안해. 아들."

"괜찮다. 그 덕분에 문제 덜 풀어서 냈지 뭐."

남 일처럼 너무 쉽게 말했다. 그래 시험 결과가 나쁘면 엄마를 원망하렴. 몇 시간 후 아들은 과목별로 채점을 하고 몇 등급이 되는지 대략 살펴보더니 누나한테 전화했다. 첫째가 수능 쳐 본 경험으로 영역별 등급에 관해 설명을 잘해 주었다. 누나도 마음이 그랬는지 대학교 기말고사 끝난 후 바로 대구로 내려왔다. 누나랑은 비밀을 공유하는 사이라 한걸음 뒤로 물러나 남매가 의견을 나눌 수 있도록 해줬다. 한참을 이야기한 후 첫째가 다가와 말했다.

"엄마, 평상시처럼 하지 그날 밥을 먹어서."

웃으면서 말했다.

"그렇게 말이다."

미안해하는 모습을 보고 아들이 말했다.

"괜찮다니깐."

첫째, 둘째가 사춘기를 심하게 겪은 후 관계가 끈끈하다. 충분히 원망할 수 있었을 텐데 오히려 걱정해 줬다. 첫째가 엄마를 대신해서 동생을 많이 위로해줬다.

고등학교 3학년 1학기 때 아들은 심각한 표정을 지으며 말을 걸었다.

"내 특성을 잘 알아서 엄마가 경찰행정학과 가라고 했잖아."

"그랬지."

아들이 왜 이리 뜸을 들이며 말하는지 걱정이 됐다.

"근데 현실적으로 거기 가기에는 성적이 안 되고 나는 몸으로 하는 활동이 좋아. 많은 고민 끝에 체육학과에 가고 싶어."

"단지 성적 때문이라면 다시 생각해 보자."

"아니, 엄마 진짜 많이 생각했고 남아있는 시간 동안 어떻게 해야 할지 계획도 짰어. 엄마 진짜 날 믿고 도와주면 안 돼?"

이렇게까지 아들이 신중하게 말한 적이 없었다. 자신이 체육학과를 왜 선택했는지 자세히 설명해줬다.

"아들이 이렇게까지 플랜을 짜고 믿어달라고 하니 엄마는 믿을게. 아버지께도 말씀 들어, 엄마가 도울게."

그날 저녁 아버지께 아들은 자신이 진로를 변경하고자 하는 이유, 앞으로의 계획 등을 설명했다. 교내 고등학생 대상 템플스테이 경험한 것을 발표한 적이 있었다. 그때 대상을 받아 장학금 50만 원을 받았다. 그저 운이 좋아서 받은 줄만 알았는데 신뢰가 갈 정도로 설명을 잘했다.

남편은 아들의 말을 듣고 그 학과에 대해서 염려되는 부분을 이야기했다.

"아빠는 체육학과에 가면 걱정되는 부분을 말했는데도 그런데도 자신 있다고 하니 남아있는 시간 동안 열심히 해 봐라.”

부모님의 허락으로 아들은 책임감을 느끼고 열심히 했다. 공부를 이렇게 했더라면 얼마나 좋았을까 싶을 정도로 열정적이었다.

“엄마, 체육 학원에서는 가군, 나군, 다군에 지원할 학교를 이야기해 줬어.”

“그랬니?”

아들은 고3 때 진로 변경으로 늦게 체대 입시학원을 다니기 시작했다. 매일 무리하게 운동해서 밤에 끙끙 앓은 소리를 들을 때면 마음이 메였다. 정형외과, 한의원 등 물리치료와 침을 병행하며 운동을 했다. 아파서 하체 운동을 할 수 없을 때는 집에서 상체운동을 하며 열심히 하는 것이 기특했다.

아들이 지원할 대학교를 듣고 마음속으로 플랜을 짰다.

“아들아, 엄마 한번 믿어볼래?”

“뭘?”

“학원 선생님으로서는 안정적인 곳을 말해 주신 거 같아.”

“그렇지”

“근데 그 학교에 합격할 가능성이 얼마나 있다고 생각해?”

“잘 모르겠어.”

“그러니깐. 거기에 합격할 가능성이 반반일수도 있지만, 반도 안 될 가능성도 있지?”

“응.”

“그래서 말인데 이왕 반반 가능성이면 한 단계 높은 대학에 지원해 보는 거로? 이왕 떨어질 거 좋은 대학에 지원에서 떨어진 게 자존심이 덜 상하지 않을까?”

“그럴까? 생각해볼 게 엄마.”

가군에 응시하는 대학을 목적으로 한 것이 아니라 나군에 지원할 대학을 중점을 뒀던 거다. 아들 성격으로 볼 때 지금 중요한 것은 동기부여였다. 백 마디 말보다 직접 겪어봐야 절실함을 가질 거라 믿었다.

가군에 지원한 대학은 1박 2일로 실기시험을 치르기 때문에 누나가 동행해서 숙소랑 대학 실기시험장소 확인시켜주고 갔다. 실기 첫날 전화가 왔다.

"엄마, 나 생각 외로 잘했어. 근데 날고뛰는 애들이 엄청 많아. 정말 대박이야."

"그랬니? 잘했다 하니깐 엄마 마음도 편하다. 내일은 어떤 거봐?"

"내일은 3종목하고 면접 봐."

"그래, 끝까지 파이팅!"

"응. 엄마. 잘하고 갈게."

안심이 되었다. 기죽지 않고 했다는 말에 안심했고 실력 높은 학생을 직접 볼 수 있다는 것에 기뻤다.

다음 날, 아들이 생각 외로 일찍 집에 도착했다. 저녁에 와야 했는데 오후에 왔다. 이유인즉 수능 점수가 높지 않아 실기 종목에서 다 1등급을 받아야 했지만, 한 종목에서 2등급을 받았다는 것이었다. 가망이 없어 면접을 보지 않고 바로 왔다고 했다. 수고한 아들을 토닥거려줬다. 고생했다고. 최선을 다했다며 위로해 줬다.

"엄마, 나군에 지원할 대학이 일주일 정도 남았는데 진짜 열심히 해야 할 거 같아. 이번에 가서 느낀 것이 많아. 정신 바짝 차려지더라. 정말 애들이 장난이 아니었어!"

"그렇겠지. 국립대학인 데다 체육학과로서 유명한 곳인데 얼마나 경쟁률이 높겠니?"

"엄마 말이 맞았어. 이번 경험으로 큰 계기가 생긴 거 같아. 엄마 고마워"

그래. 아들. 지금부터가 시작이다. 나군 대학을 향해 달리자!

그다음 날 일찍 학원에 갔다. 수능 시험이 끝나 다른 아이들은 신나게 놀 시간에 정신없이 바빴다. 아들은 아침에 학원을 가서 저녁이 되어서야 집에 왔다. 집에 오면 파김치가 되기 일쑤였다. 아들을 위해 해 줄 수 있는 건 넉넉한 용돈과 고기반찬을 맛나게 해주는 것 외는 없었다. 일주일 후 나군 대학에 실기시험을 치러 갔다. 전화가 왔다.

"엄마~"

"그래. 실기시험 친다고 고생했지?"

"엄마. 나 잘했어. 다 1등급 받았어!"

"진짜!"

"응. 수능 점수로는 지원할 수 없는데 실기시험 점수가 좋아서 운 좋으면 될 거 같아."

"그러니? 정말 됐으면 좋겠다. 남아있는 대학도 열심히 해 보자."

"응~ 엄마."

학원 선생님은 위험하다고 했다. 가군도 그랬는데 나군 대학 마저 그러면 안 된다고 안전한 대학에 지원하라고 했다. 하지만 그러고 싶지 않았다. 대학에 입학하는 것이 중요한 것이 아니었다. 열심히 하고자 하는 자세를 가르치고 싶었다. 마음이 통했는지 자신이 가고 싶은 대학으로 지원서를 냈다. 주변 반대에도 불구하고 모자는 밀고 나갔다. 나는 아들을, 아들은 나를 믿었기에. 우리만 아는 믿음이 깊었기에 가능했다. 며칠이 지났다.

그리고 아들은 나군 대학에'합격'했다. 서로 기뻐서 안고 고함을 질렀다. 내가 박사과정을 공부하고 있는 학교에 같이 다니게 되었다. 아들이랑은 학부생과 대학원생으로 함께 캠퍼스를 누리게 되었다. 가끔 낮에 전화가 와서 점심을 같이 먹자고 하며, 운동하는 친구 몇 명을 데려와서는 자기가 인심을 쓴다. 기가 막히지만, 기분 좋게 쏜다.

군대도 자원해서 해병대에 가겠다고 했다. 나쁜 건 아니지만 잘 생각해서 결정하라고 했다. 이왕 군대 갈 거 고생해 보고 싶단다. 정신 바짝 차리고 오겠다고 하면서 큰소리를 뻥뻥 쳤다. 그래라. 정신 바짝 차리고 와라. 수업 시간도 자주 빠지고 놀기 바빠 성적이 아주 예술적이니 철 좀 들고 와라. 둘째야.

어떤 요리든 뜸 들이는 시간은 중요합니다.

부모 상담을 하다 보면 가장 아쉬운 것이 뜸 들릴 시간을 주지 않을 때입니다.

변화가 없다며 예전으로 되돌아갈 때 안타까움이 큽니다.

우리 인생도 뜸을 들려야 뭔가가 완성될 수 있습니다.

조금만 더 시간을 주면 되는데, 조금만 기다리면 되는데

바로 코앞에서 포기할 때면 마음이 아픕니다.

자세히 들여다보세요.

그 고비를 넘기면 완성될 수 있었을 것들이 있었을 것입니다.

백 퍼센트 만족하지 않더라도 뜸 들일 시간이 필요했음을 경험했을 겁니다.

뜸 들인 음식과 그렇지 않은 음식의 맛은 엄청납니다.

설익은 밥보다 뜸 들인 밥이 참 맛있습니다.

급하면 안 됩니다. 잘 되기까지 뜸은 정말 필요하다는 것을요.

나다움, 원재료의 깊은 맛

매년 김장철이 되면 시댁 식구들과 함께 김치를 버무린다. 회사와 일이 겹쳐 남편이 가족 대표로 김치를 버무리게 되었다. 아내 대신 열심히 버무렸다며 큰소리를 뻥뻥 쳤다. 기대를 안고 김치 한 포기를 꺼내 맛깔스럽게 그릇에 담았다. 근데 이게 뭐지? 배춧속 양념이 너무 많았다. 김치인지 양념장인지 그저 허허 웃음만 나왔다. 아는지 모르는지 남편은 위풍당당하게 말했다.

"양념을 많이 묻혀 있어야 맛나지 않나! 잘했지."

마음은 알겠으나 많아도 너무 많은 양념장은 어찌한다는 말인가! 적절하게 배합이 되어야 할 것을 그저 많이 넣으면 된다는 욕심이 고유의 김치 맛을 죽이고 말았다. 내년 김치를 기약하며 남편에게 말했다.

"다음엔 꼭 내가 할게."

무조건 많이 넣으면 맛이 나는 줄 안다. 진짜 맛있는 음식은 원재료의 맛이 강하다. 감미료를 최대한 적게 넣고 고유의 맛을 살리는 것 그것이 핵심 포인

트다.

자신을 안다는 것, 쉬운 것은 아니다. 평생 데리고 살면서 변덕스럽기 그지없다. 소크라테스가 '너 자신을 알라' 강조했건만 아직도 헤매는 중이다. 그러나 한 가지는 확실히 안다. 진짜가 아닌 흉내가 더 힘이 든다는 것을 깨달았다. 이야기 나누는 걸 좋아하고, 동적인 것을 선호했다. 지적인 언니보다 아는 언니 같은 편한 사람이 되길 원했다. 때때로 지적인 사람을 볼 때면 마음이 흔들릴 때도 있지만 다양한 캐릭터가 있어야 재미있지 않겠는가?

"선생님은 볼수록 좋은 거 같아요!"

"그래요? 고마워요. 첫인상이 어떻게 보였기에" 하며 웃었다.

"쉽게 다가가긴 어렵지만 뭔가 눈길이 가는 그런 사람?"

가장 많이 듣는 말이다. 막내도 가끔 이런 말을 한다.

"엄마는 선생님같이 생겨서 쉽게 말 걸기 어려운 얼굴이야"

두상과 이목구비가 작아 깐깐하게 보인다는 말을 자주 들었다. 말 잘 못 걸었다간 본전도 못 찾을 거 같고 고생 없이 살았을 거 같다고 한다. 하지만 악수를 하면 손이 거칠어 놀란다.

흔히 사회적 편견으로 직업과 업종에 따라 '그렇게 해야 한다' 등의 당위성을 부여한다. 그 당위성에 부응하지 못할 때 자격이 부족한 거 같고 자책감이 들기도 한다. 변호사, 의사, 교수, 서비스업, 농부 등은 직업이지 본인을 나타내는 건 아니다. 사회적 모습과 사적인 모습을 분리하지 못하면 마음의 병이 생긴다. 어떤 것이 진짜 모습인지 구별되지 않는 순간 혼란스러워진다.

나는 일을 마치면 동네 아줌마가 된다. 어떤 식자재가 싱싱한지 고르고, 지나가다 아는 사람을 만나면 길 가운데서 웃으며 수다를 떤다. 오늘은 뭐 해서 먹을까 고민한다. 그게 원래 본 모습이다. 편하고 좋다. 자연스러운 모습을 받아들이기 전까지는 스스로 족쇄와 허상의 옷을 덧씌우며 살았다.

말이 빠르다. 심리상담사는 그러면 안 된다. 천천히 교양 있게 다른 사람이 말할 때 그 말의 의미가 무엇인지 탐색하라. 몰라도 당황하지 말고 침착해야 한다. 상대방이 실망할 수 있다. 사람을 포용하고 이해해야 한다. 기본 자질이다.

혼자 이래야 한다고 규정했다. 타당도 신뢰도 제로인 편파적인 매뉴얼을 만들었다. 직업 이미지에 걸맞아야 한다고 여겼다. 처음엔 괜찮았다. 왠지 뿌듯하고 프로다워 보였다. 시간이 지날수록 제 옷이 아닌 듯 뭔가 어설펐다. 딱딱했다. 재미가 없었다. 자연 속에 조화가 꽂혀 있는 듯 부자연스러웠다. 피로했다. 얼굴과 몸이 석고상으로 되어갔다. 점검이 필요한 순간 매뉴얼을 살펴봤다.

말이 빠르다. 그래서 상담하는 데 불편한 거 있어?

아니! 통과

다른 사람이 말할 때 그 말의 의미가 무엇인가를 살펴야 해? 때와 장소 없이?

아니! 같이 말할 거야. 그럼 이것도 패스

몰라도 당황하지 말고 침착해야 해?

그때그때 다르지. 모르면 다시 물어보면 되고!

무조건 침착은 어디서 나온 출처지?

상대에 따라 유동성 있게 하면 되지 않나? 인간미가 나야지.

모든 사람을 포용하고 이해해야 한다?

싫다. 신도 아니고 성인군자도 아니다. 공감은 할 수 있으나 모든 것을 수용하기엔 아직 인격이 그렇지 못하다. 그럼 오케이!

제 옷을 입은 듯 편했다. 자연스러웠다. 원재료에 충실하기로 했다. 상담기

법도 내려놨다. 만나는 내담자가 편하도록 노력했다. 그저 담아주고 변함없이 견뎌줬다. 아이러니하게도 수정된 매뉴얼로 대하면 다들 좋아했다. 편하게 여겼다. 실없이 농담도 하고 인생이 무엇인지 심각하게 이야기를 나눈다. 함께 심각했다가 서로 쳐다보며 웃었다. 과자 한 입 씹으며 인생이 뭔지, 어떻게 살아야 할지 논했다.

강의할 때도 매뉴얼은 작동한다. 있어 보이는 거 일찍이 포기했다. 그냥 이야기한다. 수업 중간에 궁금한 거 있으면 바로 물어보라고 한다. 모를 때 모른다고 답했다. 발음이 정확하지 않으나 전달하는 데는 큰 문제가 되지 않을 거라고 미리 선전포고했다. 함께 생각과 마음을 나누는 공간이면 된다. 잘해야 된다는 부담감을 내려놓으니 수업 시간이 편하고 재미있다.

친구와 만나 이야기 나눌 때면 수다왕이 된다. 자녀 이야기 No, 재테크 이야기도 완전 No. 그냥 실없는 이야기만 한다. 마음은 청춘인데 몸은 나잇값한다 등 별별 이야기를 다 한다. 심각한 주제일 때는 시간 가는 줄 모른다. 그래. 이렇게 살자. 본연의 맛으로 경쟁하자. 원재료의 맛을 뒤엎을 재료를 주의하면서.

안경을 낀 지 30년이 넘었습니다. 안경이 내 몸인 양 세수할 때도 있습니다. 그만큼 오랜 시간 함께 했습니다. 안경처럼 우린 보이지 않는 가면을 씌우고 있습니다. 진짜 나의 모습과 사회적 가면. 가면이 나쁘다는 건 아닙니다. 필요합니다. 중요한 건 가면이 내 얼굴로 여길 때 문제가 됩니다. 본모습과 가면 간의 간격이 밀착될수록 혼란이 옵니다. 언제부턴가 이래야만 한다! 당위성으로 밀어붙이고 있지 않은지요. 삶이 재미없어집니다.

살살 부는 바람결과 자연의 냄새를 잇는 본연의 살결에 느끼듯이 마음도 있는 그대로 수용한다면 편안한 마음이 저절로 생길 것입니다. 누가 뭐라고 하든지 내 삶의 주인공이 되는 겁니다. 못해도 '어쩌라고' 배짱부리는 거죠. 브라보 나의 인생아!

말, 듣는 자가 주인공이 되는 맛

노란 은행잎과 알록달록한 낙엽이 길가에 넓게 깔려있었다. 쌓인 곳에 가 일부러 밟아봤다. 밟을 때 나는 소리는 언제 들어도 정답다. 갈수록 자연 풍경과 낙엽이 예뻐 보이는 건 나이를 먹었다는 징표인가? 아니면 마음의 여유가 생겼다는 건가?

"쌤~시간 되면 오늘 잠깐 커피 한 잔 할까?"

친언니는 아니지만 내 마음속에는 친언니와 같은 분이 데이트 신청했다.

"네~언니 어디로 갈까요?"

카페 문을 열었을 때 나는 갓 구운 빵과 커피의 향기는 마음을 유혹하는 악마 같았다. 불면증으로 피부 트러블이 올라오고 정신이 몽롱한 상태인데도 커피와 빵은 거절할 수 없었다. 그대의 유혹을 기꺼이 받아들이리라.

"쌤~ 요새 어떻게 지내? 여전히 바쁘지?"

"특별히 하는 것이 없는데 하루가 바쁘네요."

"뭐가 특별한 게 없어? 공부하랴, 일하랴, 집안일 하랴 할 일이 많잖아"

"그러네요. 듣고 보니."

소소한 일상사를 나누는 시간이 행복했다. 마음을 터놓고 말할 수 있다는 거, 언제나 내 편에서 이야기를 들어주는 이 시간은 마음의 배터리가 충전되는 시간이었다.

"언니, 아는 분이 사회적 협동조합이라는 걸 하신대요. 거기서 플리 마켓을 여는 데 작품전도 하고 물건도 판다고 해서 다녀왔어요!"

"그래?"

"공예는 물론 가죽, 커피, 과일 등 여러 가지를 전시 판매하더라고요. 아는 분과 같이 구경도 하고 물건도 사고 그랬는데 아는 분이 타로 상담을 한다고 가보자고 해서 갔어요. 행사 기간이라 한 번 보는 데 오천 원이더라고요. 그전에도 타로로 상담을 어떻게 하나 싶었는데 이참에 한번 봤어요."

"그래? 뭐 봤어."

"뭘 물어볼까? 물어볼 게 없어 망설이다 박사 공부하고 있는데 졸업할 수 있을지 물어봤어요."

"뭐라고 이야기하던데?"

"노력하면 된대요."

"그 말은 나도 하겠다."

"그런데요. 말이라는 게 참 웃기더라고. 노력하면 된다고 하면서 더 붙여서 하는 말이 노력한다고 다 되는 건 아니다. 그러나 당신은 의지가 강하니 반드시 할 수 있다며 말씀하실 때 정말 힘이 났어요."

"쌤은 의지는 강하지. 제 확인했네."

"그런가요?"

함께 웃으며 소소한 타로 상담받으면서 느낀 감정들을 나눴다.

"쌤, 내가 나이를 먹으면서 느낀 게 뭔지 알아?"

"뭔데요?"

"사람을 만나면 내가 하고 싶은 말을 하는 것이 아니라 듣고 싶은 말을 잘해 줘야 하더라."

"그렇군요."

"이전에는 상대가 무슨 말을 듣고 싶어 하는지 생각하지 않았어. 그냥 이야기한 거 같아. 그런데 돌이켜보니 상대가 원하는 말이 있더라. 상대가 듣고 싶은 말을 해 주는 것임을 알게 되었어."

상대가 듣고 싶어 하는 말, 그 문장이 가슴에 와 닿았다.

"쌤은 의지가 강해. 하려고 마음먹으면 하잖아. 내가 쌤을 안 지가 얼만데. 지금은 막막하니깐 불안하기도 하고 걱정도 많고. 하지만 타로에서 할 수 있다는 말에 동기부여가 됐잖아. 말의 힘 인 거지"

"그런 거 같아요. 할 수 있을까? 등 여러 잡생각이 많이 들었는데 할 수 있다는 말에 뭔가 용기가 생기고 희망이 보이더라고요."

"그거야. 말이라는 게."

"그러게요."

학부 시절, 상담 관련 수업을 들을 때였다. 교수님이 한 명은 내담자, 한 명은 상담자가 되어 이야기 나눠보라 했다. 복학생 남학생과 한 쌍이 되었고 상담자 역을 맡게 되었다. 어떤 내용으로 이야기 나눴는지는 자세히 생각나지 않는다. 하지만 복학생이 한 말은 뚜렷이 기억에 남는다.

"여러분, 각자의 입장에서 어떤 마음이 들었는지 나눠봅시다."

교수님의 질문에 학생들은 상대방의 입장을 배려하여 상처가 되는 말보다는 정형적인 말을 하며 평가가 이어갔다. 그 복학생의 차례가 오기 전까지는 그랬다.

"제가 내담자가 되어 이야기 했습니다. 그러나 상담자는 내 말을 깊게 경청하지 않고 평가하는 말을 해서 기분이 굉장히 상했습니다."

그 말을 들은 직후에는 너무나 당황스러웠고, 불쾌한 마음이 들었다. 많은 학생들 앞에서 창피를 당했다는 생각에 부끄러웠다. 교수님도 당황했다.

"어떤 면에서 학생이 그렇게 느껴졌는지 간단히 이야기해 보세요."

이런저런 이야기를 했던 것으로 기억된다. 다 들은 교수님이 피드백 해 주며 냉랭한 분위기를 정리했던 것으로 기억난다. 끝으로 이런 말씀을 하셨다.

"말이라는 게, 하는 자가 주인공이 아니라 듣는 자가 주인공입니다. 아무리 좋은 말이라도 듣는 사람이 부정적으로 해석할 수 있다는 점을 꼭 기억하시기 바랍니다."

정말 중요한 말씀이었다. 말은 듣는 자가 주인공이다. 살아가면서 더 깊게 새겨지는 말이다. 똑같은 단어를 쓰더라도 친한 사람과 그렇지 않은 사람과의 관계 속에서 해석은 극과 극으로 해석될 수 있다.

"노력하면 이루어집니다."

자신의 믿음이 있다면 그 말은 큰 위로가 된다. 좀 더 노력하면 이루어질 거 같고 불안한 마음이 확신이 생기는 동기가 된다. 그와 반대로 불신과 불안이 가득하다면 추상적인 말이다. 그 말은 누구나 할 수 있다고 한숨을 쉴 수 있는 것이다.

흔히 품격, 기품 있는 사람이 되고자 한다. 교양 있는 말투, 지식 그리고 에티켓을 익히며 노력한다. 이왕 노력할 거면 듣는 자가 주인공이라는 의식을 갖고 대화를 나눈다면 상대는 좋은 인상을 받게 될 것을 확신한다.

40대가 되면 살아온 삶이 얼굴에 묻어난다고 하지요.

물고기 비닐에 바다가 스미는 것처럼

우리의 말에도 자신이 살아온 연륜이 스밉니다. 지식이 많고 적음의 차원이 아닙니다. 겉으로 보이는 품격은 유통기간이 있습니다. 가짜입니다. 격식을 갖춘 자리에서, 잘 보여야 할 모임에서의 품격만 담지 마세요. 매 순간 상대에 대한 배려, 따뜻한 말 한마디에 품격을 담았으면 합니다. 보이는 환경적인 조건으로 그 사람을 과소평가나 인격을 낮게 평가하는 행위는 그 누구의 잘못이 아니라 당신의 잘못입니다. 포장된 말은 상대도 압니다. 하지 마세요. 할 말이 없으면 그냥 미소를 짓는 게 낫습니다. 지금 당신은 어떤 말을 듣고 싶은가요?

제4장
인생의 맛과 향을 내는 감미료

겨울을 재촉하는 비가 내린다.

일주일에 한 번은 쉴 수 있도록 하루를 비워놓는다.

모든 환경이 마치 세팅된 것 같은 날, 이런 날은 김치전이 딱 어울린다.

묵은 김치에 냉동 새우, 청양고추 놓고 식용유 넉넉히 부어 바삭하게 부친다.

클래식도 좋지만 이런 날은 잔잔한 발라드를 틀어

한입, 음악 한입에 분위기를 취해 본다.

인생 멘토 감미료는 나침판 같은 맛

인생 자체가 일일드라마가 아닐까. 만남, 애정, 질투, 연민 등 다양한 재료가 섞여 있다. 언제부턴가 '단시간에 이루어지는 건 없다'라는 여유가 생겼다. 계획한 대로 진행되지 않으면 마음이 급해졌는데 지금은 그냥 진행한다. 계획대로 잘 진행되지 않더라도 잠깐의 휴식을 갖고 다시 시작한다.

막연히 누군가의 도움을 주기 위해 공부했는데 현장에 있으면서 딜레마가 왔다. 상담 몇 회기로 문제를 해결하라는 지시에 회의감이 들었다. 최소 6개월 이상 1년 정도의 시간이 있어야 제대로 자신을 탐색하고 성장할 수 있는데 그만큼의 시간을 주지 않았다. 실망감과 회의감으로 상담을 하기 싫었다. 재점검할 시기가 왔다는 생각이 들었다. 박사는 신중하게 선택하고 싶었다. 불도저처럼 시작한 석사과정의 힘듦을 알기에 신중해야 했다. 이러한 시기에 우연히 지금의 교수님을 알게 되었다. 현장에서 느끼는 모순된 부분이 교수님이 쓴 책 내용과 일치했다. 반가웠다. 입학하고자 하는 의도 등과 현재 하는 일등을 적어 메일을 보냈다. 교수님 답장은 잘못 보낸 거 같다는 답변이었다. 좀 더 구체적으로 공부하고자 하는 이유와 상담하면서 느낀 딜레마를 진솔하게 적어 보냈다. 한번 보자는 메일의 답장을 받았다.

"선생님이 저를 어떻게 알고 왔는지는 잘 모르겠으나, 박사 공부는 신중해야 합니다. 저와 함께 공부하다 보면 많이 부딪치는 면이 있을 겁니다."

교수님의 말씀은 석사 입학 전 교수님이 하셨던 말씀과 중복되는 말들이었다. 덜컥 겁이 났다.

"교수님. 솔직히 교수님이 저에게 전하고자 하는 것을 잘 이해하지 못했지만, 기회를 주신다면 열심히 하겠습니다."

교수님과 짧은 만남 후 생각이 많아졌다. 다시 다른 곳을 알아봐야 하나? 공부조차 쉽게 가지 못할까? 한숨이 절로 나왔다. 며칠이 지났다. 어떻게 할 거냐는 교수님의 문자를 보고 결정했다. 가보자. 새로운 학문을 배우고 마음 깊숙이 고민한 것들이 해결될 수 있을 거 같다는 막연한 기대를 하고 박사과정에 도전했다. 석사 때는 막무가내로 시작했고, 박사과정은 무모하게 시작했다. 내 인생이 그랬다. 철두철미하게 살펴보고 앞으로의 설계를 구상하며 나아가야 하는 데 그냥 마음 가는 대로 했다. 실패 경험도 많았음에도 인생 요리법은 허술하다. 속도감이 빠르지 않다.

간장 4스푼, 고춧가루 3스푼, 으깬 마늘, 깨소금 작은 숟가락으로 약간 넣고 강한 불에 조린 후 약한 불로 조리시면 요리 완성

정확한 계량컵과 양을 알려주면 요리 배우는 입장에서는 수월하고 쉽게 따라 할 수 있다. 하지만 내 인생 요리법은 감(感)으로 한다.

간장 대강 이 정도 넣고, 고춧가루는 대략, 마늘과 깨소금은 식성에 따라 넣

고 끓이고 자기 취향대로 조려졌다 싶으면 요리 완성

철두철미하게 준비하고 앞으로의 방향성을 구상하며 나아가는 이를 보면 부럽다. 어찌 야무지게 할까? 똑똑할까? 라는 마음이 들어 되돌아보면 난 부딪치고 옆길로 새는 듯했다. 제 방향을 돌아오기까지 수많은 난관과 과정이 지나야 도착했다. 남들보다 느릴 것 같고 더딘 것 같았다. 지금 하는 것이 잘하고 있는 건지 막연한 마음도 들었다. 스스로 위로를 하며 잘하고 있다며 합리화시켜 나갔다. 대나무 개화 시기는 몇 년이 걸리지만, 성장 속도는 엄청나듯 때를 기다리기 싫었다. 그런 인내의 시간 속에서도 깨우치는 재미가 있어 감탄사가 나기도 했다. 대나무가 곧게 뻗어가기 위해 마디를 새기는 것과 같이 그렇게.

"선생님, 이 책 읽고 발췌해서 발표 준비하세요."

개강 전 세부 전공 스터디가 있었다. 석사 때와 같은 패턴이었다. 편하게 읽히지 않았다. 평가받는다는 압박감과 잘하고 싶다는 양가감정을 가지며 열심히 책을 발췌해서 갔다. 역시나 발표를 잘하지 못했다. 그러나 교수님은 아랑곳하지 않고 심리 관련된 책들을 권했고 읽었다. 읽는 내내 부딪쳤다. 불편했다. 대학원 공부하면서 느낀 건 상담사도 아닌 듯하고 교육자도 아닌 듯했다. 뭐지? 난?

읽어야 하는 책들을 보면서 많은 생각과 잡념이 압도되기도 했다. 하얀 도화지에 파스텔 같은 파란색이 빈틈없이 색을 입히고 여러 모양의 구름을 그려 놓은 듯 환상적인 조합을 이루며 소리 없이 움직이고 있었다. 공부하면 방향에 확실성이 있을 거로 생각하지만 아니었다. 더 모르겠고 두려웠다. 박사 공부를 하면서 이제껏 해왔던 상담과는 다른 방식으로 접근했다. 지도 교수님의 철학을 믿기로 했다. 범주화보다 개별성 그리고 사회성 등을 살폈다. 무엇이 문제인가가 아니라 그저 마음으로 접근했다. 그렇게 마음을 잡기까지 약 1년 6개월이 걸렸다.

박사과정을 시작하면서 교수님의 교육 방향은 지금까지 배웠던 판을 뒤집는 것이었다. 기존의 방식과 지금의 방식의 차이에서 오는 불편함은 생각 외로 컸다. 방향성도 흐려졌다. 무엇을 배우기 위해 발버둥 치는 거지? 혼란 속에서 방향 없이 갔다. 막막했지만 가다 보면 길이 보이겠지라는 희망을 안고 걷고 버텼다. 인생이란 참 묘한 것이 길을 잃으니 새로운 것을 발견하게 되었다. 낯선 학문 속에서 방랑자처럼 허우적댈 때 교수님이 내 의중을 알았는지 꾸중하면서도 길을 잃지 않게 붙잡아주고 있음을 알았다. 칭찬보단 채찍질이 더 많았다. 위축되고 불안해서 발음은 더 꼬였다. 무슨 말을 해도 긍정적인 피드백이 없었다. 눈치 살피며 살얼음 걷듯 조심스러웠다.

"교수님은 저가 많이 미우신가 봐요."

같은 세부 전공 선생님께 속 풀이를 하고 싶었다.

"네? 무슨 소리 하시는 거예요? 교수님이 선생님을 많이 아끼는 게 보이는데."

"아이고, 선생님. 이런 위로의 말은 신뢰가 가지 않네요."

"아니에요, 선생님. 수업하시면서 교수님이 선생님의 의견을 들으시고 생각을 정리해 주시려는 것이 보여 오히려 부러웠는데요."

지금까지 무엇을 보았단 말인가? 가만히 생각에 잠겼다. 정말 그럴까? 처음에는 인정하지 않았다. 마음고생 한 것이 있어 인정하기에는 자존심이 상했다. 그리고 그냥 채찍질한다는 것에 집중했다. 관점을 좀 더 넓게 봤다. 관심 두는 영역을 말씀드리면 바로 승낙하지 않았지만, 관련 강의나 자료가 있으면 알려줬다. 어느 세미나 참여한 후 소견을 말씀드리면 또다시 혼냈다. 이상한 건 마음은 아프지만, 교수님이 좋았다. 무슨 일이 생기면 보호해 줄 거 같은 믿음이 있었다. 좋아서'교수님' 하며 붙으면 정색을 했다. 이제는 마음이 편했다. 교수님은 마치 무뚝뚝한 엄마와 같은 분이셨다. 고민이 있으면 해결해 주려고 애쓰시고, 잘못된 행동을 하면 바로 지적해 줬다.

든든한 엄마가 있어 세상을 탐험할 용기가 생기는 아이처럼, 나에겐 그분이 그렇다. 단, 아프게 혼나지만 그래도 막막한 학문의 방향에 색을 입혀주시고 나아갈 수 있도록 해 주시는 분이었다. 늦게라도 지금의 교수님을 만나 공부하고 앞으로의 방향의 무게감을 실어주시는 나침판 같은 분이 계셔서 행복하다.

〈오늘의 요리: 인생 멘토 만두 만들기〉

주재료: 인생 멘토

부재료: 나도 괜찮은 사람이라는 만두피, 노력, 인내

양념간장: 멘토의 잔소리, 진심, 멘티의 넉살

1. 우선 나도 괜찮은 사람 만두피를 반죽해야 합니다.

   부정적인 생각, 말 그리고 행동의 불순물을 제거한 후 숙성 시켜 줍니다.

2. 숙성된 만두피에 인내와 노력을 담아 감싸줍니다.

3. 찜통에 연기(스트레스)가 나면 만두를 담아 쪄주세요.

4. 쪄지는 동안 양념간장을 만들어 보겠습니다.

   멘토님의 잔소리, 진심을 넣고 마지막엔 멘티의 넉살을 솔솔 뿌려주면 양념장 완성

5. 투박한 그릇에 인생 멘토 만두를 담으면 요리 완성〜

~~이면 좋겠다. ~~~했으면 ~~~정도는 하는 꼬리표를 잘라버리면 편합니다. 매 순간 우리는 예상합니다. 내가 이 정도 했으면 상대도 그 정도는 해야 하는 게 아니야? 기대치가 미치지 못하면 실망감이 생기고 관계가 위태로워집니다. 자기 위주 정답보다는 긍정적인 이분법적 관점으로요. 예를 들면 사랑하는 사람이 제시간에 오지 않을 때를 생각해 봐요. 자기 위주 정답으로 가게 되면 "내가 약속 시간 지키라고 몇 번을 이야기 했는데 내 말을 무시해?"라는 마음이 들기 시작하면 서운함, 분노, 배신감이 느껴지지요. 그럼 긍정적인 이분법적으로 접근해 볼까요? "약속시각보다 늦네, 안 잊고 오면 되지 뭐" 늦다는 것뿐. 더 이상의 해석은 하지 마세요. 오잖아요. 화가 나세요? 큰 사고로 못 오는 거보다 낫잖아요. 내 곁에 그분이 있다는 것 자체가 행복하다면 더는 생각 꼬리는 만들지 마세요. 우선 내가 좋은 사람이 되어보는 것! 참 쉽죠.

용서(容恕) 감미료는 소화제 맛

살면서 후회되는 것들이 많다. 지난 일들을 생각하면 쥐구멍에라도 들어가고 싶다. 하지만 용서할 수 없는 것들도 있다. 그 일로 인해 힘들었고 억울했던 것이 그렇다. 드라마에서 사기 치는 악역이 나오면 감정이입이 되어 나쁜 감정들이 올라온다.

다양한 사람들을 만났다. 그러다 보니 사기 목적으로 접근하는 사람에게 크게 한번 당한 적이 있었다. 그 덕분에 아파트 대출금 등 사업 자금을 끌어다가 투자한 것들은 고스란히 가게 빚으로 남았다. 몇천만 원도 억장이 무너지는데 억 단위이다 보니 화가 머리끝까지 올라왔다. 잘해보기 위해 잘못된 거라면 그나마 위안거리라도 되지만 사기 목적으로 당한거라 속상한 마음이 컸다.

가슴 깊숙이 용서할 수 없을 것 같은 사람이 있다. 자기밖에 모르고 자식 눈에 피눈물이 나도 외면했던 한 사람. 평생을 자기 위주로 생활했던 '아빠'다.

미성숙함으로 한 여자를 고생시키고 화풀이로 자식들에게 매질했던 사람.

자식이 아파도 아랑곳하지 않고 놀러 다녔던 사람이었다.

이목구비가 뚜렷하고 체격이 아담했던 당신은 '인물이 좋으면 인물값 한다.'라는 말을 그대로 실천하셨다. 당신의 위상을 위해 외상을 할지언정 남에게 없어 보이는 걸 싫어했다. 외상값은 엄마가 갚아야 했고 어려운 살림으로 자식들은 흩어져 생활해야 했다. 공부 잘하던 언니는 영주 고모네 식당 일을 도우면서 학업을 이어나가야 했다. 가끔 언니가 학교 마치고 관광버스 타고 늦게 집에 도착한 후 엄마 얼굴 잠깐 보고 갔던 기억이 난다. 엄마는 큰딸이 가는 모습을 보며 부엌에 들어가 서럽게 우셨던 모습이 생생하다.

군인 생활만 한 터라 사회생활은 무지였다. 사기를 당하면서 잘 살던 집이 단칸방으로 전전하게 된 시발점이 되었다. 돈 냄새를 맡을 수 있는 곳은 엄마의 월급이 전부였다. 4남매를 키우기에도 역부족이었지만 없는 돈을 달라며 엄마를 폭행했었다. 부동산 중개업을 했지만 가뭄에 콩 나듯 하는 수입은 당신 체면 유지를 위해 거의 주지 않았다.

자식 교육은 군대식이었다. 큰오빠는 장남이기도 했지만, 식구 중에 가장 온순하고 부모님께 복종했다. 우리 집의 희생양이었다. 공부 못하면 정신을 바짝 차려 주겠다며 고등학생 아들한테 손찌검은 물론 몽둥이로 때리는 건 여사였다. 엄마가 말리면 애 버릇을 나쁘게 키운다며 같이 손찌검했다. 그 모습을 본 큰 오빠는 말린다고 더 얻어맞았다. 아빠는 분이 풀릴 때까지 매질했고 끝날 때까지 참아야 했다. 다세대에 살았기에 오빠가 맞는 것은 고스란히 공개될 수밖에 없었다. 더 나아가 책가방을 수거식 변소에 버리기까지 했다. 몸을 질질 끌면서 큰오빠는 가방을 건져 빨았다. 그나마 언니가 아버지한테 대드는 유일한 자식이었지만 같이 매질을 당할 수밖에 없었다. 어린 나는 구석에 앉아 상황이 끝나기만 기다려야 했다.

엄마와 다투기만 하면 제일 먼저 부엌칼을 들고 위협을 했다. 어렸을 때 아빠가 엄마를 칼로 죽이면 안 되는데 라며 발만 동동 구르는 것 외 아무것도 할 수가 없었다. 아빠가 언성이 높아졌다 싶으면 가장 먼저 했던 행동은 칼을 숨기는 것이었다. 무지막지했던 아빠. 거기에 노름은 물론 대 놓고 바람까지 피웠다. 양심의 가책을 느끼지 않으셨다.

아빠는 어떤 여자와 바람이 났다. 콩깍지가 끼어 그 아줌마 외에는 식구들에게는 관심이 없었다. 초등학교 때 아빠는 폐가 좋지 않아 입원했었다. 엄마를 돕기 위해 가끔 병원에 갔다. 병실 문을 열고 들어갔는데 아빠가 엄마에게 사정하는 것을 보았다. 내용인즉슨, 그 여자가 너무 보고 싶으니 네가 가서 병원으로 데려오라는 것이었다. 그 모습을 보며 이 사람의 자식이라는 것이 경멸스러웠다. 그런 분이었다. 평생을 자신만을 위해 사셨던 분이었다. 아빠와 좋은 추억은 떠오르지 않았다. 어디 놀러 간 기억도 없었다. 기억나는 것이라면 라면 끓여오라는 것, 밥 차려라는 것, 엄마 어디 있느냐 물어보는 것 외는 따뜻한 말 한마디조차 기억나지 않는다.

66세 때 갑작스럽게 돌아가셨다. 어떤 질병이나 징조도 없었다. 가는 것도 자기 마음대로였다. 자식들은 아빠가 돌아가셔도 눈물 한 방울도 나오지 않을 거라 했지만 피는 물보다 진하다고 했던가! 하염없이 눈물이 나왔다. 원망의 눈물, 분노의 눈물, 아쉬움의 눈물, 애석한 눈물 모든 감정을 눈물 외에는 어떤 표현이 되지 않았다.

돌아가시고 몇 주가 지났지만 뭔가 찜찜했다. 꿈속에서 아빠가 나타나 '같이 가자'며 붙잡기도 했고 초췌한 모습으로 '춥다'며 거지꼴을 한 모습도 보였다. 마음이 이상해 아는 분 소개로 절에 가서 천도재를 지냈지만, 여전히 아빠는 나를 괴롭혔다. 죽어서도 자식 괴롭히는구나 싶을 정도였다. 스님이 스무

날 동안 같은 방향에서 매일 절하면서 경을 읽으라고 했다. 오전에 매일 아버지가 좋은 곳에 가시길 바라는 마음으로 정성스레 절하고 경을 읽었다. 며칠이 지나자 무릎도 아프고 허벅지 등 온몸이 쑤셨지만, 아빠를 위해 정성껏 절을 했다.

초저녁 붉은 노을의 하늘은 아름다웠다. 노을과 구름 사이에 빛줄기가 보였다. 양복으로 잘 빼입고 걸어오시는 아빠가 보였다. "네 덕분에 내가 좋은 데 간다. 고맙다 막내야" 손을 흔들며 하늘의 빛줄기가 내리진 곳으로 걸어갔다. 거의 도착할 때쯤 다시금 뒤돌아보시며 미소를 지으셨다. 너무나 선명한 꿈이었다. 아빠를 본 마지막 광경이었다.

신기하고 벅차기도 했다. 꿈에서 본 이야기를 엄마, 언니, 오빠들에게 전했다. 아버지가 좋은 데 가신 거 같다며 같이 기뻐했다.

그림자조차 꼴도 보기 싫었던 한 남자. 당신의 핏줄을 받았다는 것을 부인하고 싶었던 시절. 그런 부녀였지만 언제부터가 아버지를 위해 기도를 했다.

아빠, 미운 정이 가득한 아버지.
당신은 저에게 사랑이 무엇인지 알려주지 않으셨습니다.
가르쳐 주신 건 아버지처럼 살지 말라는 것을
너무 극명하게 보여주셨습니다.
그리고 불쌍한 어머니를 잘해 주라는 것을 익히게 했습니다.
당신이 미웠습니다. 원망했습니다.
당신이 나의 아버지라는 것이 싫었습니다.
세상이 싫었고 나 자신도 사랑하지 않았습니다. 사랑이 뭔지 몰랐습니다.
그런 당신의 딸이 사랑을 배우고 실천하고자 합니다.

대물림되지 않기 위해 뼈와 살을 깎는 고통을 견디면서 성장했습니다.

가난 덕분에 절실함을 익힐 수 있었습니다.

매질 덕분에 정신적 충격이 얼마나 큰지를 알게 되었습니다.

없어도 베풀었던 당신을 보면서 받기보다 베풂을 배웠습니다.

당신의 행동을 보며 여과하고 정수하며 살고 있습니다.

당신이 있었기에 아픈 이들을 만나면 성심으로 대하고 있습니다.

아무것도 준 것이 없다고 원망했으나 많은 것을 주시고 가셨습니다.

아버지.

당신을 사랑하고자 합니다. 용서하고자 합니다.

당신에 의해 태어났고

예쁜 자식을 낳고 속 깊은 남편을 만나 잘살고 있습니다.

이제는 원망하지 않으렵니다.

아버지가 어머니께 해 드리지 못한 사랑을 자식들이 잘 살피고 있습니다.

걱정하지 마세요. 미안해하지 마세요.

어머니가 매우 편찮으십니다. 살 날이 많지 않은 거 같습니다.

어머니 보고 싶어도 조금만 참아주세요.

자식들이 더 사랑 주고 보답할 수 있을 수 있게요.

더는 바라지 않을게요. 아버지.

〈오늘의 요리: 용서 비빔밥〉

1. 주재료: 용서 대상자

2. 부재료: 경멸, 비난, 무심함, 원망, 측은지심

3. 양념장: 있는 그대로 수용장

〈순서〉

1. 용서 대상자를 씻어야 합니다.

   응어리가 있으면 살살 풀고, 불순물이 있으면 제거해 줍니다. 그다음으로 용서 대상자를 위해
   측은지심 부재료를 넣고 압력솥에 담아 버튼을 누릅니다.

2. 밥이 완성되는 동안 부재료를 만들어보겠습니다.

   경멸은 팍팍 문질러 독을 제거해 줍니다.

   비난은 기름에 달달 볶아 고유의 맛이 나지 않도록 합니다.

   무심함은 참기름을 넣고 향이 나도록 합니다.

   원망은 숙성될수록 강한 맛이 나기 때문에 얼음물에 담가 넣은 후 볶아줍니다.

3. 완성된 용서 대상자 밥 위에 양념 된 경멸, 비난, 무심함, 원망을 담습니다. 그런 다음 그 위
에 측은지심 고명을 낳습니다.

   4. 마지막으로 있는 그대로 수용장을 넣고 비벼 드시면 맛깔 나는 용서 비빔밥 완성

누군가를 위해 용서하기보다 자신을 위해 용서하세요.

아프게 한 그 사람이 당신 마음속에 살지 못하게 하세요.

애쓰지도 말고 부정하지도 말고 가만히 놔두세요.

언젠가 상처는 아물게 됩니다.

자기연민 감미료는 달고 쓸쓸한 맛

    죽을 뻔했다. 이 상황에서 기가 막힌다는 것 외 표현할 방법이 없다. 발을 쭉 뻗는 순간 물은 배꼽까지였다. 어이없었다.

    중학교 시절, 단체로 수영장 체험활동을 했다. 작은 가슴을 파란색으로 알록달록하게 감싸주는 수영복을 입었다. 가볍게 준비운동을 한 후 친구들과 수영장 안으로 들어갔다. 물 공포증이 있어서 깊은 풀에서 노는 건 겁이 나 조금 얕은 풀에 들어가 혼자 수영하는 자세로 몸에 힘을 뺐다. 천천히 몸이 일직선이 되어가고 있다고 느끼는 순간 힘이 들어갔다. 갑자기 허우적거렸다. 손과 발이 바쁘게 움직였다. 요동치게 움직일수록 몸은 더 물속으로 빠져갔다. 공포가 밀려왔다. '살려주세요, 아무도 없어요?'라고 말하고 싶었지만, 물이 자꾸만 입속으로 들어갔다. 천장이 희미해져 갔다. 숨을 쉴 수가 없었다. 이제 죽는구나! 마지막으로 발버둥을 쳤다. 그 순간 발이 바닥에 닿았다. 그리고 일어섰다. 눈 깜짝할 사이에 죽음과 생을 경험했던 거다. 주변을 살펴보았다. 옆에 다른 애들이 있었다. 얕은 곳이라 발버둥 쳤던 것을 장난으로 생각하고 관심을 두지 않았던 거다. 죽을 수 있음을 느꼈던 순간임도 불구하고.

이 넓은 세상에 '나'라는 존재가 보잘것없다는 느낌을 받을 때가 있다. 남에게 나쁜 짓을 한 적도 없는데 왜 이렇게 힘들까? 라며 불만을 토로했다.

한국상담심리학회 상담심리사 자격증을 취득하는 데 자격 조건은 까다롭다. 조건이 충족되면 시험을 치고 면접 과정을 거친다. 공부에 집중한다고 자격증 준비는 약 1년 정도 늦어졌다. 여러 증빙서류를 제출한 후 1차 서류 심사 결과를 기다렸다. 결과는 수련 기간 미달이었다. 뭐지? 초과했는데 미달이라니? 전화해서 문의하니 너무나 사소한 실수였다. 그때의 심정은 짜증 그 자체였다. 좀 더 세밀하게 보지 못했던 자신에게 탓했고, 주변 사람들에게도 화가 났다. 그때는 정말 머리끝까지 화가 온몸을 휘감았다.

일어난 일들을 수용하지 못한 채 마음 한구석으로 숨어있었다. 부정적인 감정이 나를 마구 휘저었다. 초라해질수록 덤덤히 받아들일 여유가 없었다. 세상을 원망하고 신세를 한탄하며 땅이 꺼질세라 한숨을 쉬었다. 그것 외에 할 수 없다는 자신을 발견하며 또다시 우울 모드로 갔다.

살면서 많은 상처를 받았다. 과거로 인해 지금의 삶이 비참해질 때면 삶의 초점은 현재가 아니라 과거로 회귀했다. 지금 여기에 충실해야 하는데 지나간 기억을 곱씹으며 빠져나오지 못했다. 마음의 늪이 무서운 이유는 한번 빠지게 되면 한없이 나약해지고 자칫하면 삶의 끈을 놓을 수 있다는 거다. 탈출을 위한 첫걸음은 '있는 그대로 받아들이기'부터였다. 모든 게 싫고 희망이 보이지 않을지라도 언제든지 빠져나올 끈은 있어야 했다. 그 끈이 삶의 의미였다. 낮과 밤이 있듯이 늘 좋기만 하지 않고 나쁜 것만 있지 않기에 잘 잡고 있어야 했다.

빨리 달성해야 한다는 마음이 들수록 조급해졌다. 나아가기 위한 준비가 제 때 이루어지지 못할 때 밀려오는 불안감은 커졌다. 무엇이 나를 고민하게 만드는가? 원했던 것이 어떤 것이기에 부정적인 마음이 드는 것일까? 라고 생각에 잠겼다.

습관처럼 자신을 돌아봤다. 안개 가득 찬 바다 항해를 위해서는 나침판이 필요하듯, 흔들릴 때 혹은 삶이 괴로울 때, 힘들어짐을 알았다.

지금 그대로의 나와 그것을 방해하는 나

힘겨루기 시작

방해자가 이것저것 근거를 대며 선방을 날린다.

'살면 뭐 하니', '여기서 끝내자'

방해자가 힘이 센 '괴물'을 등장 시켜 위협한다.

한 방을 노리자. 단숨에 엎어버리자

'그래서? 어쩌라고'

자기 연민은 속옷처럼 감추고 싶은 것이기도 하지만 보호막처럼 작용하기도 했다.

힘들 때는 보호해 주는 동지지만 자기 입장으로만 생각하는 태도는 위험했다. 처음엔 괜찮은 방법이 되었지만, 나중에는 그리 좋은 형태로 나타나지 않았다.

일단 지금 그대로 받아들이기.

그다음 단계는 그 상황에 대해 느꼈던 감정은 빼고 사실적인 것만 적어보기.

세 번째 단계로는 객관적으로 판단하기

마지막으로 어떤 부분에서 민감했는지 알아가기. 그런 다음 스스로 위로하기. 그래서 그랬구나.

이 부분에서 내가 화가 났구나, 억울했구나, 부끄러웠구나.

괜찮다. 그럴 수 있다.

자기 삶의 의미는 무엇인지. 그 의미에 집중하면 된다. 가다가 넘어질 수 있다. 누군가가 밀어 쓰러질 때도 있다. 돌부리에 걸릴 수도 있다. 하지만 나아가고자 하는 방향만 잃지 않으면 된다.

가장 소중히 여기는 것은 무엇인지 알면 된다.

나를 위한 기도문

포근한 침대 속에서 아침을 맞이할 수 있어서
행복합니다.

나를 아껴주고 사랑해 주는 가족이 있어
행복합니다.

작은 불씨라도 누군가에게 희망을 줄 수 있어서
행복합니다.

인정받고 싶어 타인을 밟고자 하는 마음이 생길 때면
기도하겠습니다.

누군가에게 상처와 아픔이 전달되지 않게
혀끝을 잘 살피겠습니다.

욕심이라는 괴물이 나타나면 싸울 수 있는
힘을 기르도록 하겠습니다.

나와 만나는 모든 이들에게
성심으로 대하겠습니다.

날기 위해 기고 서고 날개짓을 하듯
서두르지 않겠습니다.

약자를 위해 대변해 줄 사람
그 누군가의 필요한 사람이 되도록 하겠습니다.

나 역시 기도를 할 만큼 약한 존재이고 두려움을 느낍니다.
잘 할 수 있을까 싶습니다.
서툴지만 나아가겠습니다.

용기를 잃지 않도록 하겠습니다.
배운 지식이 허투루 되지 않도록 점검하겠습니다.

서툰 인생 요리사 이지만
자신을 아끼고, 남을 보살피며 살아가겠습니다.

살아있기에 생각할 수 있고 성장할 수 있는 기회가 있는
지금-이시간이
행복합니다.
고맙습니다. 감사합니다. 그리고 행복합니다.

〈오늘의 요리: 자기연민 잡채〉

 1. 주재료: 자기연민 당면

 2. 부재료: 푸념, 실망, 후회, 절망, 희망가루

 3. 양념장: 괜찮다 참기름, 인생은 살맛 하다 깨소금, 쓴 인생 맛 간장

〈순서〉

1. 자기 연민 당면을 삶습니다.

2. 삶는 동안 부재료를 손질하겠습니다.

 푸념은 기포가 많이 있는 재료로써 기포를 제거하셔야 합니다. 기포 제거법은 살살 문질러 공기가 빠져나갈 때까지 기다린 후 괜찮다 참기름을 넣고 무쳐줍니다.

 실망은 끈적거림이 심하기 때문에 희망 가루를 넣어 볶아줍니다.

 후회, 절망은 같이 뜨거운 물에 삶아 건져 얼음물에 담긴 후 인생은 살맛 하다 깨소금 넣고 볶아 줍니다.

3. 삶은 당면에 양념장(위 참고)을 넣고 무칩니다.

4. 양념 된 당면에 부재료를 넣고 양념장을 첨가해 간을 맞춥니다.

5. 〈TIP〉 요리의 핵심은 양념장이니 신중히 잘 배합하셔야 합니다.

6. 마지막으로 괜찮다 참기름, 인생은 살맛 하다 깨소금으로 자기연민 잡채 성공〜

부부 감미료는 오미자 같은 맛

　나뭇잎이 거의 떨어진 캠퍼스에서 홀로 걸었다. 오후 수업이 끝난 후 특강 장소가 학교 내 강의실이라 그 시간만큼 리포트를 써보지 싶어 도서관에 갔다. 마음과 달리 집중이 되지 않아 무작정 밖에 나왔다. 그 예쁜 낙엽들은 시들해졌고 밟아도 바스락 소리가 나지 않았다. 며칠 산간에 이렇게나 달라졌다. 그래도 한때 예뻤고 마음은 아직도 뜨거운 데, 학생들이 지나가면 나를 교수님인 줄 착각하고 가끔 인사하고 간다. 동안이라 우기며 다니지만, 나이는 어쩔 수 없어 씁쓸했다. 안 되겠다. 리포트는 나중이다. 커피 한 잔 마시며 혼자 고독을 씹어야겠다.

　달콤한 치즈 케이크와 아메리카노 주문 후 유리창이 있는 자리에 앉았다. 케이크 한 조각과 아메리카노는 그야말로 환상적인 맛이었다. 인생이 이런 맛 같다면 얼마나 좋을까? 혼자 끽끽 대며 즐겼다. 혼자 있는 이 시간이 행복했다. 케이크를 먹으면서 창밖의 풍경을 바라보면서 추억의 열차는 달리고 있있다.

나의 첫사랑

불행하게도? 남편이다. 어떤 사건과 추억을 소환해도 등장인물은 한 명뿐이다. 일찍 결혼할 줄 알았으면 화려하게 연애를 좀 해 볼 걸 싶다.

남편은 미남, 유머 감각, 센스 해당하는 게 없다. 더불어 자상함도 없다. 늘 그 자리에 변화 없는 나무 같은 사람이다. 유년기가 불안정했기에 그 어떤 것도 바라지 않았다. 그저 든든한 사람이면 됐다.

20대 초반에 잠깐 아르바이트하던 곳에서 남편을 만났다. 셔츠 한가운데에 가로로 빨랫줄에 걸린 것 같은 흔적이 있었는데도 창피하지 않은 듯 입고 왔다. 구멍 난 양말을 신고 출근하기도 한 적 있었다.

'헐~~뭐야? 촌스럽게. 결혼한 거 같은데 너무한 거 아니냐? 사이가 안 좋은가?' 손가락엔 결혼반지처럼 보이는 반지를 끼고 있었다. 어느 날 일찍 출근해서 사무실을 여니 웬 남자가 누워있었다. 밀린 일을 처리한다고 사무실에서 잤나 보다. 아니면 부부 싸움을 해서 여기서 잤나? 라는 궁금증이 생겼다.

"과장님. 여기서 주무셨어요?"

"일이 많이 밀려서 처리하다 보니 아침이네요."

"피곤하시겠어요!"

"아닙니다. 씻고 올게요."

그때는 삐삐로 연락을 주고받았다. 보통 남편이 일 때문에 외박 하면 아내가 사무실에 전화 하거나 방문해서 옷가지를 챙겨오는데, 어째 전화 한 통이 없었다. 이 남자 분명 부부 사이가 좋지 않나 보다.

"과장님. 저가 이런 말 하면 안 되는데요."

"네. 말씀하세요."

"보통 외박하면 사모님이 전화 올 거 같은 데 오지 않아서요?"

"네?"

"그러니깐 결혼하셨는데 사모님이 무심한 게 아닌가 싶어서"

무슨 생각으로 이런 말을 했는지 지금 생각해도 대단하다 싶다.

"제가 결혼했다고요?"

"저기 손가락에 결혼반지가."

"네? 하하하."

박장대소하며 웃는 모습, 좀 과장해서 목젖이 보일 정도의 화통한 웃음소리에 큐피드 화살이 가슴을 뚫고 들어왔다.

"이 반지는 제대 기념 반진데."

"네? 결혼 안 하셨어요?"

"혼삿길 막을 일 있으세요? 저 총각입니다."

사람 마음이 간사했다. 촌스러운 스타일이 순박해 보이고 구멍 난 양말은 근검절약의 성실함으로 포장되었다. 가슴이 뛰었다. 단지 화통한 웃음소리 하나에 심장은 마구 뛰었다. 눈에 콩깍지가 덮인 후에는 이빨에 고춧가루가 끼어도 그 사람이 멋있었다. 직원과 이야기 중에 들리는 그의 목소리는 그 어떤 음악보다 달콤했다. 한마디로 상사병에 걸린 것이다. 온종일 머리에서 떠나지 않았다. 심지어 꿈에서도 나올 정도로 그 사람이 보고 싶었다. 안 되겠다. 고백해야겠다. 패기와 앞뒤 가리지 않은 용기로 마음을 전달했다.

"과장님. 저 과장님이 좋아요. 괜찮다면 절 여자로 봐주셨으면 해서요."

"네? 음."

그 남자는 뭔가 생각하는 듯했다. 뭐 때문에 고민하는 거지? 갑자기 창피해졌다. 얼굴이 화끈거렸다.

"아직 어려서 그리고 남자를 사귄 경험이 없어서 좋게 보일 수 있습니다. 너무 성급히 결정 내리지 마세요. 나중에 후회합니다."

그 말에 확신이 섰다. 어린 여자가 자기 좋다고 하면 우선 호의적일 수 있었을 텐데 보호해 주려는 마음과 시간을 두고 결정하라는 말에 이 남자 놓치면 평생 후회할 거 같았다.

"비록 어리지만 아무 남자한테 그런 말 하지 않아요."

"지금은 저 말이 기분 나빠할 수 있겠지만 시간이 지난 후에는 고맙게 여길 겁니다."

그렇게 첫 고백은 미끄러졌다. 그렇게 몇 개월의 시간이 지난 후, 퇴사를 앞두고 인사를 나눴다.

"저 이제 가요."

"네. 그동안 수고 많으셨어요!"

"시간이 지난 후에도 마음의 변화가 없다면 만나주실 거죠?"

"그때 가서 생각해 보겠습니다."

끝까지 희망의 끈을 보여주지 않았다. 퇴사 후 가장 힘들었던 건 그 사람을 볼 수 없다는 것. 그것이 가장 힘들었다. 힘든 시간을 견디다 그 사람의 생일이 마침 12월 31일이었다. 생일을 핑계로 전화할 기회가 생긴 것이다.

"○○○ 스튜디오입니다."

"네. 김 과장님 부탁합니다."

"어디라고 전할까요?"

"동생이에요."

뭐라 답변할 말이 없어 그렇게 말했지만, 동생은 되지 않으리라.

"여보세요?"

굵은 목소리가 전해줬다.

"저예요."

"아~오래만이네요."

"네. 잘 지내시죠. 오늘이 생일이라서 전화했어요."

잠깐 말이 없었다.

"네. 고맙습니다."

"시간 되시면 잠시 볼까요? 과장님."

"저 좀 늦을 거 같은데 괜찮겠습니까?"

"네. 근처 레스토랑에서 기다릴게요."

전화기를 내려놓자 가슴이 폭발하는 거 같았다. 얼굴은 빨개지고 볼에는 열이 났다. 심호흡 하고 거울을 보며 화장을 고쳤다. 몇 달 만에 보는 그리웠던 그 사람. 깜깜한 조명 아래 기다렸다. 책을 보면서. 늦게 와도 좋았다. 볼 수 있다는 것에 황홀했다.

"오랜만입니다. 많이 기다렸죠."

"아니에요. 갑자기 전화해서 보자고 한 저가 좀 그랬죠?"

"솔직히 좀 놀랐습니다."

"그랬어요? 죄송해요."

"아니, 아니요. 그런 뜻이 아니라 저 생일을 기억하고 전화 주셔서 너무 놀랐어요. 그때 고백할 땐 그저 장난이라 생각했는데 진심이었나? 싶었습니다."

"저 그 마음 그대로예요. 기다릴게요. 저를 여자로 보실 때까지."

같이 식사하면서 이런저런 이야기를 나눴다. 그 후 드라이브를 했다. 잔잔한 음악이 깔리고, 그 사람의 목소리를 듣다 보니 정신을 차릴 수가 없었다. 집까지 데려다주고 작별 인사를 해야 했다. 헤어지기 싫었다. 더 있고 싶었지만 내색하지 않았다.

"오늘 고마웠어요. 그리고 생일 축하해요. 과장님"

"저도 즐거웠어요."

인사는 했지만 내리기 싫었다. 젊음의 패기가 또 발동했다. 무슨 정신이었는지 그 사람을 안았다. 그 사람도 안아주었다. 우리는 그렇게 연인이 되었다.

그 남자와 같이 산 지 23년이 지났다. 연애도 못 해보고 결혼했다고 서로가 피해자라고 우긴다. 그 말도 사실이다. 첫 키스, 첫 경험, 첫 순정 모두 서로가 '처음'이기에 더 애틋했다. 레스토랑에서 만났을 때를 회상하며 물어봤다. 어디가 예뻐 마음의 변화가 왔느냐고? 그랬더니 남편이 한숨을 쉬며 말했다.

"조명발에 속았지. 조명 아래 책 보는 모습이 예뻐 보이더라. 지금 생각하면 완전히 속았어. 자나 깨나 조명발에 속지 말자"

아직도 남들이 보면 꿀이 떨어진다고 한다. 미친 부부라 한다. 왜냐고? 아직도 남편에게 뽀뽀해 달라고 투정 부리고 남편은 그 투정을 받아준다. 보고 싶다고 떼를 쓸 때면 '참아라. 보고 싶어도'라고 받아준다. 희로애락을 함께 한 시간만큼 진한 맛이 스며든 거 같다.

남편에게 늘 하는 말이 있다.

"자기야, 마누라보다 당신 여자로 살래."

아직도 팔짱을 꽉 끼며 걷는다. 손가락 깍지 끼고 걸으면서 많은 이야기를 나눈다. 호칭은 '자기야, 여보야' 다. 지나가는 사람들이 힐끔 쳐다본다. 가끔 불륜 관계로 오해받기도 한다. 어느 날 팔공산으로 드라이브를 하고 다정하게 식당에 들어갔더니 식당 종업원이 작은방을 안내해줬다. 우릴 불륜으로 착각한 모양이다. 성공이다.

"여보야~ 우리 평생 불륜 부부로 사는 거다."

마음과 생각이 꼬이면 세상이 꼬여 보입니다. 길거리에서 다정한 연인을 보면 얼마 가겠느냐며 스스로 배알이 꼬입니다. 나는 외롭고 힘든데 남들은 싱글벙글, 눈에는 하트 뿅뿅. 도저히 볼 수가 없습니다. 그런데요 천사가 행복이라는 선물을 주기 위해 포장을 한답니다. 모든 사람에게 행복을 주기 위해. 천사잖아요. 포장이 다 되면 집으로 배송된답니다. 그러면 모든 사람이 행복해야 하는데 그렇지 않은 거죠. 왜냐고요? 포장지가 고통, 아픔이거든요. 그게 힘들어 행복을 버린대요. 안 좋은 일이 생길 때면 우린 흔히 액땜했다고 하잖아요. 행복의 강도가 높을수록 포장지도 튼튼히 붙어있습니다. 많이 힘들고 괴롭더라도 포장지를 잘 뜯어서 행복을 만끽하셔야죠. 지금 포장지를 뜯는 중입니다. 조금만, 조금만요. 행복이 곧 당신 품에 안길 거예요.

실수 감미료는 포천 쿠키 맛

"피해자분이 대인, 대물 신청하셨습니다!"

"네? 그 정도는 아닌데."

약간 억울한 마음이 들었다. 부딪치면서도 충격을 느끼지 못할 정도였는데 상대방은 보험사에 요구를 한 모양이다. 함께 동승한 막내딸이 걱정되었다.

"괜찮니?"

"응, 엄마. 어떻게 해야 해?"

"걱정할 거 없고 보험사에 전화하면 돼. 차 안에 가만히 있어."

딸과 즐겁게 수다를 떨다 한순간에 접촉사고를 냈다. 차에서 내려 상대편 차 운전자에게 다가갔다.

"죄송합니다. 괜찮으세요?"

"아니~운전을 이렇게 하면 됩니까?"

상대편 차에는 부부가 동승한 채로 여자분이 운전대를 잡고 있었다. 내리자마자 언성을 높였고 남자분은 묵묵히 내려 차 상태를 찍고 있었다.

운전한 지 10년이 넘었다. 몇 번의 접촉사고가 있었지만, 그때마다 좋은 분들을 만나 흔쾌히 배상하였고 언성이 오고 간 적이 없었던 터라 정신이 없었다. 더군다나 사고로 인해 놀랐을 딸이 걱정되었고, 상대편이 다쳤을까 염려가 되었다. 공손한 태도와 말투에 상대방이 처음에는 화를 냈지만, 점점 차분해지면서 어서 보험사에 연락하라고 했다. 양쪽 보험사가 오고 이리저리 상황 설명을 했다. 원만하게 해결되었으면 하는 마음이 커서 보험사가 권하는 대로 했다.

한쪽이 찌그러진 채로 운전해서 집에 왔다. 놀랐고 속상한 마음이 가득했지만, 딸이 걱정되어 아무런 내색을 하지 않았다. 보통 때 같으면 깔깔거리며 이야기를 나눴을 상황인데 딸도 걱정이 되었는지 계속 '엄마 괜찮아?'라며 쳐다봤다. 괜찮다며 이야기를 나눴지만, 분위기는 신나지 않았다.

침대에 누웠더니 생각이 많아졌다. 초보 운전할 때 접촉사고 냈던 에피소드, 소 싣고 가던 트럭과 접촉사고 났던 사고. 한동안 잊고 지냈던 옛적 생각이 났다. 그때는 그랬지 라며 생각에 잠겼다. 기억이 묻어질 즘 사고가 났고 그때 느낀 것은 정말 실수는 한순간이구나 싶었다.

차를 정비소에 맡기고 대중교통을 이용했다. 집에서 회사가 그리 멀지 않았고, 전철에서 내려 회사까지 걸어가는 것도 아침 운동으로 좋았다.

"걸 을만 하네. 이참에 대중교통으로 다닐까?" 생각이 들곤 했다. 운동도 할 수 있고 대중교통을 타는 게 더욱 경제적이라며 합리화시켰다. 속으론 운전하기가 두려운 마음에 그랬던 것 같다.

살면서 실수하지 않고 사는 사람이 있을까?

실수는 오늘도 했고, 내일도 할 가능성이 높다. 참 희한한 게 실수라는 것이 행동 패턴의 한 부분인 거 같다. 똑같은 모양으로 나타나지 않지만 비슷한 상황에서 실수 하곤 했다. 다음에는 조심해야 한다고 다짐을 하더라도 시간이 지나면 비슷한 유형으로 실수를 범했다.

가벼운 실수라면 훌훌 털며 일어나면 되지만 큰 실수인 경우는 그렇지 못하다. 자신에 대한 원망, 불안 그리고 죄책감까지 모든 감정이 엿같이 붙어 잘 떨어지지 않는다.

"재수 없어."

"그때 가지 말았어야 하는데."

"오지랖이 넓어 문제야."

"내 능력을 탓해야지."

"나는 왜 자꾸 이러지?"

등의 실수 하나로 온전한 나를 부정적으로 만들어 버린다. 자신을 탓하고 능력을 탓하며 환경을 탓한다. 틀린 말도 아니다. 실수는 유쾌한 사건은 아니기에 우울하다.

'실패는 성공의 어머니.'

틀린 말은 아니지만 그리 와 닿지 않는다. 실수가 자신을 점검하고 앞으로의 방향을 잡아 주는 건 맞다. 그러나 실수 하나로 인생을 포기하는 사람에게는 저 말이 위로가 아니라 공격이 시작된다. '역시 난 안 되는 사람이다' 등으로 스스로 채찍질한다.

성과, 평가, 만족감 그리고 체면을 내려놓으면 어떨까?

그대로 받아들이고 흘러가는 대로 버티다 보면 실수는 흘러가고 희망이 와 닿을 것이다. 실수도 인생의 한 부분임을, 삶의 일부인 것을 받아들이면 조금이나마 숨을 쉴 수 있을 것이다.

실수했는데 어떻게 하면 좋을지 포천 쿠키 운세 한번 뽑아볼까?

-그럴 수 있습니다. 타자의 말에 흔들리면 그것이 진짜 실수임을 아시기를-

개울가에 개구리가 놀고 있는 것을 본 한 아이가 돌을 던졌습니다.

개구리는 놀라 팔딱팔딱 뛰었습니다. 그 모습을 본 아동은 신이 나 또 돌을 던졌습니다.

몇 번을 재미 삼아 던진 아동에게 개구리가 큰 소리로 말했습니다.

"당신은 장난으로 던진 돌이지만 우리에겐 생명의 위협을 느끼는 행위이니 그만하세요"

아동은 놀라며 개구리에게 미안해했다는~이야기가 있습니다.

우리는 그 누군가가 무심히 던진 말일 수 일지라도 듣는 이는 치명타가 될 수 있습니다.

실수재료를 불순물로 여기지 않고 숙성시키는 곰팡이로 여긴다면 그나마 숨을 쉴 수 있을 것입니다.

완벽하지 않기에 인간입니다.

인간이기에 실수합니다.

그 원리만 이해하면 될 거 같습니다.

정(情) 감미료는 풍미가 높아진다

친정엄마는 넉넉지 않은 살림이지만 이웃 간에 정을 나누는 사람이었다. 음식 솜씨가 좋아서 동네 분이 음식 자재를 가져와 만들어달라고 했던 기억이 난다. 도시에서의 정은 그렇게 나눴다.

결혼 후 힘들었던 문화 차이는 제사였다. 제사 음식을 해 본 경험도 없거니와 먹지도 않았다. 제사 음식을 한다는 건 엄청난 것이었다. 콩나물은 어떻게 다듬어야 하는지, 부추전, 명태전, 꼬치 등 전 종류만 해도 엄청났다. 전 받침대는 10개가 넘었고 제사 나물은 큰 솥에 한가득했다. 오전 때부터 저녁때까지 준비하면서 의구심이 생겼다. 왜 이리 많이 하지? 식구가 많다고 하지만 이건 너무 심한 거 아니야? 누구도 설명해 주지 않았다. 늦게 제사를 마무리한 후 다음 아침에는 좀 늦게 일어나도 괜찮겠지 싶었다. 그러나 큰 착각이었다.

"낼 아침에 동네 분들 제삿밥 드시러 오신다."

"네?"

시골에서는 그다음 날 아침에 동네 분들이 오셔서 제삿밥을 드셨다. 늦게까지 지낸 것도 힘든데 아침 일찍 오신다니! 점심도 아닌 아침에 말이다.

충격이 컸다. 이른 아침부터 삼삼오오 어르신들이 오셨다. 제사 잘 지내냐며 인사를 나누면서 안방에 모였다. 어머님과 정신없이 아침밥을 차렸다. 나물 간이 잘 되었네, 전 종류가 많네, 큰 제사라 신경 썼네! 등 심사와 평가가 오갔다. 정신없이 아침 식사 전쟁을 치른 후 방에 갔다. 천장을 쳐다보며 이게 뭔가 싶었다. 뭐지? 정말 이해가 되지 않았다. 도시 여자가 시골에 와서 적응하기란 그리 만만치 않았다. 그렇게 1년이 지나고 2년이 지나니 이젠 그러려니 하며 적응이 되었다. 그 당시에는 몰랐다. 맛있는 음식은 다 같이 나눠 먹으면서 정을 낸다는 것을. 도시보다 시골이 사이가 좋고 단합이 잘 되는 이유를 알았다. 그렇게 자연스럽게 스며들었다. 나누면 좋다는 것을 몸소 느꼈다.

분가 후에는 이웃 간에 음식을 나눠 먹지 않는다. 내 마음과 달리 이웃이 불편해했다. 이해가 갔다. 나눠 먹는 문화를 접하지 않았다면 당연히 그럴 수 있을 것 같다. 그 대신 재능을 나눈다. 같은 영역에서 종사하는 분들께 정보나 기법 등을 알려준다. 어떤 보상도 받지 않는다. 그냥 나눈다.

"쌤이 어렵게 공부한 거 우리에게 알려줘서 고마워요."

"저도 좋고 선생님도 좋고 다 좋다고 하는 거죠."

음식을 대신해 함께 하는 마음을 나눈다. 때때로 당연시하거나 더 많은 걸 요구할 때 마음이 아프긴 하지만 그건 소수일 뿐이다.

눈보라가 무섭게 몰아치는 캄캄한 밤. 두 나그네는 몸을 웅크리며 길을 걸었습니다. 너무나 추워 얼굴을 둘 수 없을 정도였습니다. 차가운 눈길 위에 누군가가 쓰러져 있었습니다. 쓰러진 자를 두고 갈 것인가? 업고 갈 것인가?

한 나그네는 혼자 걷기도 힘든데 업고 간다는 건 정신이 나간 짓이라 생각 했습니다. 그러나 한 나그네는 힘들지만, 서로의 체온을 의지하며 업고 갔습니다. 한참 동안 업고 간 나그네는 불빛을 비춘 것을 보고 안심을 했습니다.

조금만 가면 된다고.

그러나 혼자 간 사람은 강한 추위로 싸늘하게 죽어 있었습니다.

빨리 가려면 혼자 가고 멀리 가려면 함께 가라는 속담이 있다. 함께 나눈다는 것은 말처럼 쉽지 않다. 이해타산적인 마음도 든다. 손해 보는 것 같다. 그러나 나는 작지만 서로 돕고 함께 어울려 사는 삶이 좋다. 그저 마음 가서 해주는 그런 마음이 행복하다.

보상심리가 있습니다. 많은 걸 바라지는 않지만 10분의 1이라도 알아주기를 바랍니다. 상대가 너무나 당연시할 때 속상합니다. 원래 그런 사람인 줄 압니다. 뭘 바라고 한 것은 아니지만 고마움을 표현하기보다 네가 좋아서 그런 거잖아 라고 할 때 억장이 무너집니다. 무엇을 위해 한 것인가? 공허한 마음도 듭니다. 좋은 사람이 되고 싶어 하지 않았는지 살펴보세요. 진심으로 정을 나눌 때 받는 이도 미소가 지어집니다. 편안합니다. 어깨에 힘 빼세요. 함께 있어 주는 것도 정입니다. 함께 웃어주는 것도 정입니다. 지금 옆에 있는 분께 정을 나눠주실래요?

제5장
지극히 주관적인 인생 요리법

주부 경력 10년이 넘어가면 나만의 대표 음식 하나쯤은 있다.

거창한 음식이 아니더라도 밥만큼은 잘 짓는다든지,

라면 하나는 끝내주게 잘 끓인다든지 자신만의 특급 요리 비법이 있다.

요리사는 음식에 철학을 담는다. 우리 인생도 자신만의 철학이 있다.

나는 왜(WHY) 요리하는가

성인이 될 때까지 인생 방향을 알려주거나 교훈을 준 사람이 없었다. 혼자 부딪치고 다치고 울며 인생 굴곡을 배워나갔다. 좁은 시야를 가지고 있었을 땐, 쓸데없는 자존심과 체면이 삶의 원동력이었고 상처의 시작이었다. 고민하고 방황할 때 좋은 영향력 주는 어른이 있는 친구를 보면 부러웠다. 부모이든 친구이든 선생님이든 그때는 아무도 없었다. 오아시스가 있는 사막이 아니라 망망대해에 덩그러니 혼자였다.

많은 시행착오와 실망스러운 삶 속에서 죽지 못해 연연했고 자식 때문에 끈을 잡고 공부를 했다. 삶의 현장에서 만나는 무력한 청소년을 볼 때면 어릴 적 나를 보는 것 같아 그 마음 공감이 갔다. 자녀와의 갈등으로 속이 상한 부모의 마음도 안다. '을'의 입장에서의 차별감을 안다. 아직도 만들어지고 있지만, 예전처럼 나약하지 않고 힘이 생겼다.

달을 보며 굳은 약속을 했다. 나침판 같은 사람이 되는 것. 참다운 어른이 되어 몸소 실천하고 선한 영향을 주는 것 그것이 심리적 과업이자 소명으로 품었다.

'Impowerment.'

'이런 사람도 잘살 수 있다는 것을 보여주자. 희망을 담아주는 사람이 되자. 아이를 위해 참 어른이 되자.'

단지 밥벌이를 위한 것이었다면 진작 포기했다. 확고한 신념이 있었기에 열등감과 좌절감 속에서도 견딜 수 있었다. 포기라는 단어가 떠오르면 '엄마 최고'해주는 자식이 있어 다시 일어섰다. 그래 힘내자. 그까짓 것 다른 사람도 하는데 난들 못하겠는가?

부모의 사랑받으며 살고 싶었던 어린 시절. 마음이 늘 고팠던 아이. 비빌 언덕이 없어 홀로서기가 무서웠던 아이. 그런 아이가 성인이 되었다. 수수한 차림의 아줌마이지만, 마음이 고픈 사람들에게 따뜻한 밥 한 끼 같은 존재가 되고 싶었다.

'밥 먹고 가.'

그런 사람이 되고 싶다. 마음이 고픈 사람에게 구수한 누룽지처럼 편안한 사람이 되어주고 싶다. 그 정도면 좋겠다. 바쁘다는 핑계와 게으른 성격을 합리화를 시키며 음식을 잘 안 하고 있다. 머리로는 열심히 지지고 볶고 다듬고 있는데 실제 요리는 뒷전으로 하고 있으니 말만 거~~하다.

마트에 가서 요리 재료를 가득 싸 왔다. 막내랑 남편이랑 즐거운 저녁 식사를 위해 손 빠른 엄마로 변신한 뒤 후다닥 월남쌈과 불고기를 요리해 한 상 가득 차렸다.

"자기야~, 막내야~ 저녁 먹자."

"오늘 뭔 일이고?"

평소에 안 하는 짓을 했는지 남편이 물었다.

"기분 한 번 내 봤어. 맛있게 먹자."

"엄마, 불고기에 야채 씹히는 맛이 너무 좋아."

"그래?"

"응, 쫄깃한 고기와 야채가 만날 때 식감이 아주 완벽히 끝내줘요~"

사랑스러운 애교와 애간장을 태우는 딸의 목소리는 언제 들어도 행복했다.

"그래? 많이 먹어. 살 안 쪄."

모녀가 낄낄거리는 모습을 묵묵히 지켜보던 남편이 한마디 했다.

"많이 먹으면 살찐다!"

아무리 좋은 음식이라도 과식은 탈 난다. 월남쌈을 먹을 때면 다양한 재료에서 나오는 맛들이 참 재미난다. 여러 채소와 야채, 고기, 과일, 소스가 기본 세트지만 쌈 안에 자기가 먹고 싶은 것을 싸서 먹으면 또 다른 맛을 낸다. 기가 막히게 맛난다.

우리 인생도 그렇지 않을까?

IQ 100점을 가진 사람들은 똑같은 능력을 갖췄는가?

'천만에. 숫자는 숫자일 뿐.'

같은 IQ 100점일지라도 어떤 이는 수리영역에서 탁월할 수 있고, 또 다른 이는 언어영역에서 뛰어날 수 있다. 즉, 점수 100이라는 숫자에 너무 현혹되지 말자는 거다. 100점 속엔 각자의 고유 능력의 차이가 있다. 여러 영역이 합쳐진 것일 뿐. 각자의 재능과 잠재력은 다르니 너무 얽매이며 자신을 바라보지 말자.

중학교 때 학교에서 단체로 아이큐 검사를 했는데 87점이 나왔다. 친구와 서로 커닝도 하고 집중해서 풀지 않아서 그랬던 것일까. 설령 진짜 그 점수라도 공부하고 이해하는 데 문제가 없었다. 단지 수리영역은 바닥이지만. 똑같은 점수를 가진 이가 있다면 그 사람도 나와 똑같을까? 그 사람은 수리영역은 강하되 언어영역이 낮을 수 있다. 개인차를 인정하고 성장해야 하는데 그저 숫자에 연연해 가는 모습을 보면 안타까움이 크다.

유모차에 앉아 있는 어린아이도 휴대폰을 보고 있는 시대다. 대중교통을 이용하면 재미있는 모습이 다들 휴대폰을 보고 있다. 친구가 바로 앞에 있어도 핸드폰을 본다. 다양한 모바일 기술이 발전할수록 인간관계는 메말라간다. 상대를 위해 쓰는 감정을 소비적이라 여긴다. 살면서 사람과의 관계가 점점 체험활동처럼 변하는 것 같아 안타깝다. 아픈 이들과 함께 비상하는 그날을 위해 실수 연발 인생 요리사는 계속 행진하고자 한다.

마음 주걱 들고 따뜻한 밥 한 끼와 같은 사람이 되자.

그것이 내가 요리하는 이유다.

평생 우리는 사는 법을 배워야 한다._세네카

맞습니다. 평생 배워야 합니다. 책에서 배운다고요. 네 배울 수 있습니다.

단, 행동으로 옮기는 것이 산지식이며 생명력이 있습니다.

남을 험담하고 잘못을 들추며 상처 주는 사람을 흔히 '타인의 잘못을 보는데

탁월한 사람'이라고 평합니다.

그런 사람은 자신의 얼굴에 묻는 것은 보지 못하고

남의 묻은 것에만 관심을 가집니다.

그 말에 휘둘리며 산다면 억울하지 않겠습니까?

당신 삶의 지휘봉을 그 사람에게 넘기지 마세요.

자신을 알아가는 것. 쉬운 것 같지만 정말 어렵습니다.

그러나 그 어려운 걸 해내는 것이 자신 아니겠습니까!

복(福)요리사에 따라 맛이 달라진다

감나무에 맛깔스러운 감이 달려 있다. 지나가던 늑대는 감 하나가 곧 떨어질 거 같아 나무 아래 누워 감이 떨어질 때까지 입을 벌리며 기다리고 있다. 그 모습을 본 멧돼지는 누워 있는 늑대를 한번 쳐다보고 감나무 한번 쳐다보더니 머리로 나무를 쳐서 감이 우두둑 떨어뜨렸다.

사람을 관찰하는 것이 취미이고 특기인지라 표정이나 행동을 허투루 보지 않는다. 많이 보면서 내린 결론은 복(福)은 자기가 만든다는 것이다.

복을 만드는 행동을 크게 3가지로 분류된다. 첫 번째는 딱 그만큼만 한다. 자기 일 외는 관심을 두지 않는다. 두 번째는 미루거나 딴청을 피운다. 자신이 해야 하는 일임에도 불구하고 다른 사람이 하겠지. 또는 잘하면 다음에도 자신에게 맡겨질까 싶어 안 한다. 마지막은 보이는 것 외 부수적인 것까지 완수한다. 자기 일을 포함해 다른 사람에게 도움이 될 만한 것을 감지하고 선 듯 도와주거나 협력한다.

문제에 부딪혔을 때 사람의 진가는 나타난다. 성실하고 책임감이 있는 사람은 어떻게든 난관을 해결하기 위해 노력을 하고 주변의 협조를 구한다. 그 사람에게 문제가 생기면 주변에서 물질적이든 어떤 차원이든 잘 되기를 바라고 돕는다. 이런 사람을 '복' 많은 사람이라 부른다. 복 많은 사람은 누군가에게 도움을 주기도 하고 받기도 한다.

흔히 잘 되면 내 탓이요 안되면 조상 탓하는 것 보면 사주팔자까지 연결된다. 재물 복, 자식 복, 성공 복 등 매년 신년운세를 보며 한 해를 준비하고 희망을 품기도 한다.

'당신은 그랜저 사주야'라고 해주면 힘이 솟고 뭐든지 하면 잘 될 것 같아 사주만 믿고 과감해지기도 한다.

'왜냐고 난 그랜저급이니깐.'

좋은 건 좋은 거다. 잘 될 가능성이 높다는 것을 의미하기도 한다.

이와 반대로 '당신은 경차 사주야'라고 하면 뭔가 주춤거리게 되고 선 듯 용기가 서지 않는다. 자신은 경차 수준밖에 안 된다고 믿는 순간 작아지게 된다.

'왜냐고? 노력한들 경차 수준이라서.'

무시할 수 없겠지만 그것이 진리처럼 믿는 것은 정말 잘못된 생각이다.

금수저라 할지라도 본인의 노력 없이는 좋은 성과를 기대할 수 없다는 건 자명하다. 능력 있는 부모, 재력 등은 자신의 힘으로 이루어낸 것이 아니기 때문에 언제 무너질지 모를 모래성과 같은 거다. 부자는 삼 대가 가지 못한다는 말이 그저 나온 말이 아닐 것이다.

현재의 행동은 과거가 영향을 미친 것이며, 미래까지도 영향을 미친다. 세상에는 그저 공짜로 얻어지는 건 없다. 자신이 열심히 한 만큼 돌아온다. 열심히 뿌린 자는 결과에 순응하며 받아들이는 경우가 많다. 그러나 뿌린 것이 없는 자가 이만큼 했는데! 이 정도면 된 거 아닌가! 조건을 달며 분노한다. 즉, 복(福)을 요리하는 사람은 탓을 하지 않는다. 포기하지 않고 지금의 조건의 재료로 다듬어서 요리한다. 기름이 없으면 그것이 필요하지 않은 요리로 전환하며 나아간다. 지금 있는 재료로 정성을 다한다.

손가락질은 단 한 사람을 위해 향하지만, 나머지 손가락은 누구를 향해 가리키고 있는가? 그 누구에게도 함부로 대해서는 안 된다. 복(福) 또한 입에서 악취가 나는 사람보다 향기 나는 사람에게 가고 싶을 것이다.

또 한 가지 예로 '배우자 복 없는 사람은 자식 복도 없다?'고 해석을 달리할 필요가 있다. 비록 배우자를 잘못 만났다 하더라도 자식을 위해 열심히 사는 모습을 보여 주고 그 자리를 지키고 있으면 된다. 부모가 자녀에게 보상을 넘길 때 그 무게감은 버거울 것이다. 보상의 부채를 넘기는데 어느 자식이 좋다고 떡 하니 받겠는가? 훌륭한 부모가 되지 못할지언정 자녀들에게 무거운 쇠사슬을 떠넘기는 것은 말아야 하지 않겠는가. 자신이 부모에게 받은 빚을 내 자녀에게 갚는다는 마음만 가지만 된다. 복의 잣대보다 내가 할 역할을 했다는 마음으로 산다면 자식은 꼭 물질적인 것이 아니더라도 정신적이든 어떤 것이든 보상할 것이다. 복은 그 어떤 조건 없이 베풀 때 돌아오는 것이다. 어떤 것을 기대하고 하는 것은 좋은 행위가 아니다.

복을 짓는 것도 나쁜 짓을 하는 것도 본인이 선택한 것이다. 에너지 파장은 자신이 행한 대로 형성된다. 악취 나는 곳에 파리가 모이고 향기 나는 곳에 나비가 오듯 자신의 주변을 살펴보고 점검이 필요하다.

가만히 감 떨어지길 바라는 늑대보다 어떻게든 시도했던 멧돼지가 복(福)을 짓는 것이다. 당장에 일희일비하지 말고 현재에 충실히 최선을 다하면 된다.

성실하기, 바라는 것 없기, 선행하기

3요소가 복 짓는 공식이다.

〈복(福) 모둠 튀김〉

1. 주재료: 성실, 선행, 믿음

2. 부재료: 유혹 견디기 튀김가루

　　　　　바라는 것 없기 물

　　　　　인내 기름

〈순서〉

1. 성실 재료는 탈색이 잘 되기 때문에 잘 감싸준다.

2. 선행 재료는 믿음과 살살 섞어준다.

3. 믿음은 연하고 부드러워서 조심스럽게 다듬는다.

4. 유혹 견디기 튀김가루와 바라는 것 없기 물을 붓고 튀김 반죽을 한다.

5. 물같이 옅은 튀김 반죽 물이 완성되면 1~3 재료를 순서대로 넣는다.

6. 인내 기름이 달궈지면 진실을 튀긴다.

　　인내 기름으로 진실이 맛깔나게 튀겨지면 건진다.

7. 선행은 인내 기름에 들어가자마자 건진다.

8. 믿음은 잘 익혀지지 않는 특징이 있어 다른 재료에 비해 인내 기름에 많이 튀겨준다.

9. 복 그릇에 진실, 선행, 믿음 모둠 튀김 완성

〈시식 평〉

복 튀김은 진리다!

육아_부모 함께 성장하는 발효 시기

상담영역에서 특히 부모교육에 많은 정성과 노력을 기울인다. 특히 육아 부모교육은 더 그렇다. 12개월이 지난 유아를 키우면서 겪는 어려움, 3~5세 아이의 고집과 행동 등에 관한 고충, 그 외에도 취학 전 사회성 부족이나 발달장애에 관한 걱정 등 부모의 다양한 고민을 함께 나누고 아이의 심리적 이해를 돕고자 노력한다. 그중 강조하는 말이 있다.

"남이 하는 말을 무조건 맹신하지 말라."

나 역시 내 새끼 잘 키우려고 노력했지만 돌이켜보면 미성숙했던 엄마였다. 스스로 확신이 부족했고 육아에 관한 지식과 정보가 미흡했기에 아이를 먼저 키워본 선배 엄마에게 많은 도움을 받고 싶었다. 첫째 딸을 어린이집에 등원시키기 위해 가는 길에 아는 분을 만나 수다를 떨었다. 어린이집 차가 도착했다. 헤어지기가 아쉬워 집에서 차를 한잔 마시자고 권했다. 따뜻한 커피를 마주하며 아이에 관한 이야기를 나눴다.

"언니, 첫째가 아직도 오줌을 못 가려요."

"그래?"

"잘 가렸는데 갑자기 몇 주 전부터 밤에도 오줌 누고 낮에도 오줌 눠요."

"혼내야지? 어떻게 했어?"

"혼내기도 하고 달래 보기도 했는데 안 돼요."

"습관 되기 전에 얼른 버릇 고쳐 놔야 돼."

"어떻게요? 다 해봤어요."

"우리 애가 고집을 심하게 부려서 내가 이 방법을 써 봤더니 다시는 떼 부리지 않고 말도 잘 들었어."

"그래요? 뭔데요?"

"애가 울면 욕실에 가둬놔."

"욕실에 집어놓기만 하면 돼요?"

"아니지. 집어놓은 후 불을 끄고!"

"네?! 어두워서 무서울 거 같은데."

"무섭지. 그때부터 아이가 말을 잘 들어."

"어, 그래요?"

"한번 해봐."

"그럴까요?"

지금 생각하면 아찔하고 무서운 행위다. 그런데 그때는 어리석게도 알려준 방법대로 첫째에게 시도해 봐야겠다고 생각했다. 겁은 났지만, 욕실 문 가장자리에 작은 구멍도 있고 하니 괜찮을 거라 믿었다.

하교 후 첫째가 간식을 먹고 잠이 오는지 누우려고 해서 작은 이불을 깔아 눕혔다. 그때, 첫째가 이불에 오줌을 쌌다. 순간 아이에게 화가 나서 어린이집 엄마가 알려준 대로 욕실 불을 켜지 않고 아이를 집어 넣었다. 잘못 했으니 욕실에 가두는 거라고 훈계했다. 몇 초가 지났는데도 아이는 반응이 없었다. 걱정되어 문을 열어보니 문 쪽을 바라보며 서 있었다. 놀란 표정으로! 아이의 상태를 보고, 이건 아니다 싶어 얼른 씻기고 새 옷을 갈아입힌 후 미안한 마음에 팔베개 해 주고 안아 주려고 했으나 아이는 거부했다. 마음이 아팠다. 아이에게 무슨 짓을 한 거지? 미쳤어! 바보였어. 다시는 그 누구의 말도 듣지 않을 것이다! 다짐했다.

이후 첫째는 혼자 있기를 무서워했고, 쓰레기를 버리려고 간다 하면 전과 다르게 울었다. 미안했다. 억장이 무너지는 듯했다. 아이를 믿어주고 사랑해 줘도 부족한 판에 해서는 안 되는 짓을 했던 거다. 절대 나 같은 엄마가 있어선 안 된다. 아이에게 마음의 빚을 갚기 위해서라도 올바른 부모의 역할은 무엇인지 전문 서적을 통해 조금씩 익히고 실천해 나갔다.

"선생님. 우리 아이 가요. 또래에 비해 늦어요."

새내기 어머니들이 자주 하는 고민이다.

"어머님. 또래에 비해 늦다고 하셨는데 개인차가 있습니다. 좀 더 구체적으로 어떤 부분에서 늦다는 거지요?"

"어린이집 친구들은 말도 잘하는데 우리 애는 생존 언어만 겨우 해요. 친구를 자주 때려요. 그래서 어린이집 친구들과 잘 어울리지도 못해서 사회성이 부족한 것이 아닐까 걱정돼요."

육아 어머님들의 보편적인 고민은 '아이가 말이 느리다', '또래보다', '주변에서 안 좋은 소리를 자꾸 해서'와 같이 우리 아이의 고유성과 개인차를 고려하지 않은 것들이 많다. 옆집 아이는 이렇게 하더라, 같이 배웠는데 우리 아이는 잘 따라가지 못해서 걱정이다 등으로 고민을 호소한다. 이 고민은 학부모도 거의 일맥상통하다.

12월생의 5세 여자아이와 어머니가 방문했다. 자폐증이 아닐까 걱정되어 심리 검사할 수 있으면 받고 아니면 전문가가 우리 아이 정상인지 비정상인지 판별해 달라는 것이었다.

"어떤 계기로 상담을 의뢰하게 되셨는지요?"

질문에 어머니가 주춤거리더니 말을 이어갔다.

"주변에서 아이가 좀 이상하다고 발달검사 해 보라 해서 발달심리센터에서 검사했는데요. 아이와 애착에 문제가 있을 수도 있고, 발달이 지연된 것도 있다고 해서 마음이 너무 아팠어요. 한 번 더 검사해 보고 싶어서요."

끝말을 맺지 못하고 어머니 표정이 슬퍼 보였다. 아이는 바닥에 앉기도 했고 주변을 두리번거리며 놀았다.

"어머니, 그런 말 들었을 때 억장이 무너지는 듯했지요? 속상하시지요."

아이 어머니는 그저 아이만 바라보고 있었다.

"어머니, 걱정되시면 전문병원에서 검사해 보시길 권해드려요. 어머님이 걱정 어린 눈으로 아이를 쳐다보면 어머니가 말을 하지 않더라도 아이는 느낄 수 있습니다. 그리고 어머님. 어떤 엄마가 내 아이 잘못되라고 양육했겠습니까? 너무 자책하지 마세요. 지금부터라도 하시면 됩니다. 그리고 아이를 믿어주세요. 상담하는 동안 아이는 엄마의 표정을 관찰하고 저 옆에 와서 눈도 마주치고 무슨 말을 하나 싶어 쳐다보기도 했습니다. 또한 무엇이 있는지 살펴보고 있지 않습니까. 지금부터 아이의 반응에 민감하게 반응하셔야 합니다. 애착이 문제라면 지금부터 하시면 돼요. 아이가 할 수 있는 놀이와 몇 가지 정보를 알려드릴게요. 그리고 아이의 행동을 잘 관찰하셔서 다음 주에 다시 우리 이야기 나눠 봐요."

그렇게 4주를 상담했다. 성실히 해보겠다는 약속을 한 거라 행동일지 등을 정리해서 가져왔다. 가장 큰 변화는 아이가 엄마 손을 잡고 손가락을 가리키며 '이것 해 달라'는 손짓을 하는 것이었다. 그리고 자기 전 아이에게 따뜻한 동화책을 읽어준 후 "엄마는 언제나 우리 딸 사랑해. 하늘만큼 땅만큼"이라는 말을 해 줬다는 것이다. 그 후 아이가 아빠 사랑해, 엄마 사랑한다며 무슨 뜻인지 알고 하는지는 모르겠으나 그 말을 한다는 것에 감격했다고 했다. 4주 상담 후 상담을 종결했다.

지극히 개인적인 소견으로, 그 아이는 조금 늦다는 것 외는 아무런 문제가 없었다. 눈 마주침도 잘 되고 상대방을 쳐다보며 말을 걸기도 했다. "줘", "이거" 등 단순 언어를 사용했지만, 부모가 언어 자극을 많이 해 주지 않았던 것도 영향이 있어 보였다. 바닥에 앉아 있던 아이는 나의 유니폼 바지를 잡고 까꿍 놀이도 했다. 같이 호응해 주면 아이는 웃었다. 하지만 이것은 나의 주관적인 관점이기도 했고, 어머니의 불안 수준이 여전히 높았기에 추후 전문병원을 소개해 줬다.

육아 상담을 해 보면 정말 검사를 필요로 하는 아이는 몇몇 되지 않는다. 비교하고 평가에 휘둘리는 모습에 안타까운 마음이 컸다. 내가 미숙했던 그 시절처럼.

부모는 자녀 사랑이 대단하다. 넘쳐나는 정보화로 오히려 독이 될 때도 종종 있다. 공공장소에서 아이의 행동을 자제시키지 않는 부모. 내 아이 기죽인다고 남에게 피해 주는 행동을 방관하는 것 등은 대표적인 잘못된 정보 오류다. 주변에 미리 양육해 본 사람의 조언은 필요하다. 하지만 맹신하지 마라. 그리고 주변의 피드백으로 우리 아이를 훈육하지 마라. 모든 걸 보편화, 일반화시킬 수는 없다. 아이를 양육할 때 주의할 점은 비교는 절대 금지다. 개인차가 있음을 인정해야 한다. 좀 늦을 수도 있고 빠를 수도 있다. 몇 개월간의 차이로 전전긍긍하지 말고 아이의 능력이 마음껏 발휘될 수 있도록 함께 놀아주자. 수다쟁이 부모가 되자. 그리고 각 발달단계의 평균 기준에 자유로워지자. 이 시기에는 몸무게는 얼마, 키는 얼마, 그리고 언어성은 어느 정도, 사회성은? 과 같은 기준에서 벗어나자. 자녀가 또래들과 잘 놀고 사회성도 높아 보이는 외향적 성격일 때 엄마는 뿌듯해한다. 우리나라에서 내향인 아동이 피해를 보는 것 같다는 느낌이 착각이길 바라고 있다. 아이의 개성과 발달에 속도를 맞추면서 나아가면 부모도 성장한다. 늘 강조하는 거지만 아이는 부모가 자신에게 향하는 감정들을 알고 느낀다. 불안하면 불안한 만큼 자라고, 믿으면 믿는 만큼 자란다.

아이를 양육하면서 가장 기본적인 자세는 기다림이다. 적절한 교육과 기다림 그리고 일관된 환경적 요소가 필요하다. 아이의 행동에 민감하게 반응하고, 때론 적절한 통제와 자율성의 환경을 조성해주어야 한다. 아이에게 주어야 하는 중요한 세 가지 길이 있다. 손길, 눈길, 그리고 마음 길이다.

아이는 우리가 생각하는 것보다 위대하고 창조적인 존재다.

젊은 세대의 부모_나뭇잎 넣은 물 한 잔

현장에서 젊은 세대 부모들을 많이 만난다. 40대에 어린 자녀를 둔 부모도 있고 아가씨 같은데 자녀가 초등 고학년인 경우도 있다. 자기관리도 잘하고 생각도 분명히 전달하는 걸 보면 달라진 부모상을 느껴지곤 했다.

'4차 혁명'이라고 많이들 얘기한다. 말 그대로 혁명이 일어나는 시기에 학부모를 보면 안타까운 마음이 크다. 요즘 세상에 공부로만 성공하기는 힘들다는 걸 알 것이라고 생각했다. 그러나 여전히 많은 학부모는 자녀의 성적표에 목매고 있다.

디지털 시대라고 하지만 변하지 않는 가치가 있다. 바로 협력과 커뮤니케이션이다. 분야별로 더 세분화 되고 전문성을 요구하기 때문에 상호 간 의견과 타협이 필수 요소이다. 세상에 대한 호기심이 많은 아이에게 부모는 아이의 질문에 경청하고 의견을 존중하는 자세를 보여줘야 한다. '세종대왕' 하면 뭐가 생각나니? 질문에 답을 준비해서는 안 된다. 왜냐하면 아이가 '만 원'이라고 외친다면 부모는 어이없음의 표정으로 아이가 생각한 것을 무시한다. 어떤 이유로 만 원이라고 생각이 들었는지 다시 질문하면 된다. 그렇게 생각의 다양성을 부여해 주고 마지막에 부모가 생각한 답도 같이 제시해 주면 된다. 이것이 정답이다 라기보다 너의 창의적인 의견도 존중한다는 자세를 가져야한다. 틀에 박힌 정답을 유도하고 원하는 답변을 요구하는 것은 창의성을 방해하는 요소가 된다. 우리나라는 비판은 있으나 토론이 없다. TV 토론을 보면 상대방의 말을 자르는 것은 기본이고 자기 생각만 옳음을 내세우는 것을 보면 언제쯤 건강한 토론의 장을 볼 수 있을까 싶다.

시대의 흐름이 달라지고 있음에도 불구하고 심화하는 사교육은 아이들이 질문과 경청, 공감보다는 경쟁을 먼저 배운다. 남이 잘되는 것에 박수가 아니라 시기심을 먼저 배울까 걱정이 된다.

고집하는 것이 하나 있다. 보여주기식의 상담은 하지 않는다. 기다려 주지 않은 채 학부모는 몇 달이 지나도 아이가 달라지는 것이 없고 오히려 안 하던 행동을 해서 그만하겠다고 통보한다. 그 마음은 이해하나, 아이가 안 하던 행동을 하는 것은 성장하고 있다는 징표라는 걸 학부모들은 잘 이해하지 못한다. 아이는 생각의 주머니가 커지고 자존감이 향상되면 이전에 하지 않았던 행동에 도전하고, 자기의 생각을 점점 더 풍부하게 표현한다. 부모는 자녀를 예전처럼 통제하기가 어려워 마음 성장하는 자녀를 힘들어하는 것이 아닐까?

"선생님, 이젠 참지 않으려고요."

"무슨 말이니?"

"하기 싫어도 엄마가 하라고 하면 했는데요. 이제는 안 할래요."

"안 하려는 이유가 있었니?"

"저도 생각이 있다고요. 안 믿어줘요. 그래서 짜증나요."

엄마의 지나친 통제로 자신은 허수아비처럼 그저 생각 없이 하라는 대로 했던 아이. 이제는 힘들더라도 나아가려는 아이의 용기에 무언의 박수를 보냈다.

"쌤!"

만나자마자 아이가 눈물을 보였다.

"앉자마자 왜 우니? 무슨 일 있었어?"

"엄마가 그만하래요."

"그러니? 갑자기 왜."

"몰라요. 쌤이 전화해서 계속하자고 해 봐요."

사연인 즉, 아이가 갑자기 멋을 부리기 시작했고 쓸데없이 웃고 다닌다는 것이다. 그래서 다시 아이를 자신이 잡아야 할 것 같기에 상담을 종결하겠다는 것이었다. 어린아이가 이제는 스스로 알을 깨기 위해 꿈틀거리고 있는데 부모는 아직은 아니야 라며 막고 있었다. 어릴 때는 부모의 통제와 보호가 필요하다. 아이가 성장하면 부모는 정신적 탯줄을 끊어내야 한다. 부모의 불안으로 아이를 붙잡고 있지는 않은가?

마음이 성장하면 세상이 달리 보이고, 자신이 컸다는 것을 증명하고 싶으면서도 여전히 부모에게 보호받고 싶은 감정이 공존한다. 따라서 아이에게 무조건 자유를 주기보다는 범위를 선정하고 그 안에서 자율성을 발휘할 수 있도록 해야 한다. 대학 가면 하고 싶은 거 다 해라? 그건 아니다. 대학생이 된 후 사춘기가 오는 경우를 많이 봤다. 이제는 몸이 성장하면 마음도 예전과 다르다는 것을 자각하고 아이와 많은 대화를 나눠보면 좋겠다. 하지만 많은 가정에서는 그렇게 하지 않기에 가장 안타깝다.

엄마의 도마 소리는 아이에게 정서적 안정감을 느낀다. 아이에게 물질적인 제공보다 정서적인 제공을 많이 해야 한다. 정서 통장이 가득한 아이는 방황하더라도 빨리 되돌아온다.

물질적으로는 좋아졌다 하지만 마음이 예전보다 풍성해졌는지는 잘 모르겠다. 자해한 것을 자랑삼아 SNS에 올리고 그것을 용기라 칭하는 아이들, 가상에서 만난 관계라 거침없는 댓글들. 직접 만나 이야기 나누는 것은 에너지 소모라 여기는 아이들. AI가 친구 역할을 대신하는 시대를 맞이하고 있다.

좀 더 시야를 넓게 봐야 한다. 학교생활에서 배워야 하는 것은 경쟁과 비교가 아니라 협력. 그 속에서도 갈등이 생겼을 때 그것을 해결해 나가는 경험이다. 창의성 수업이라 하지만 매뉴얼이 있는 것도 아이러니하다. 그저 수행평가 점수, 상장 등 보이는 성과에 우리 아이의 미래를 예측한다.

우리 집 막내도 곧 고3이 된다. 막내는 공부는 늦게까지 하는 것이 아니라 한다. 공부 하다 말고 SNS로 아이스크림 UCC 공모전에 응모한다며 밤새우며 영상을 구상하고 찍는다. 콘서트 티켓 구매를 위해 어른들이 주신 용돈을 인출하여 사비로 산다. 콘서트 입장을 위해 자정에 나가야 한다며 화장이며 옷이며 요란을 피운다. 주변에서는 애가 공부해야 하는데 이렇게 놀게 하면 괜찮은지 걱정한다. 이럴 때 한마디 한다.

"본인이 하지 제가 합니까?"

억지로 끌고 갈 수 있다. 하지만 마지막은 본인의 선택이다. 이제 공부해야겠다는 마음이 들면 할 것이다. 실컷 놀아 봤고 해봤기에 흔들리지 않고 나아갈 수 있는 것이다. 가 보지 않은 곳에 뭔가 있을 거 같지만 별것 없다는 것을 직접 체험해 봤기에 이제는 자신의 꿈을 향해 비상할 준비가 되어 있을 것이다.

아이는 성장하고 어른은 성숙해져야 한다. 부모 자신의 삶이 성공적이지 못

했기에 아이에게 이래야 한다, 저렇게 해서는 안 된다 등 많은 제한과 제시를
한다. 걱정과 염려가 되지만 본인의 색깔이 잘 발현될 수 있도록 지켜봐 주는
것도 중요하지 않겠는가?

부모의 믿음이 강한 아이는 세상의 탐험가가 됩니다.

중년_꽃봉오리를 품은 국화차

대학을 나오면 어느 정도 안정한 직장이 보장되었던 시대가 있었다. 소 팔고 대학 등록금을 마련했던 시절, 자식이 많이 배우면 뒷바라지하는 것이 부모 노릇을 한 것 같고 그 자식이 노후를 책임질 거라 믿었다. 그 시대가 지금의 50대 중년 세대다.

중년.
자신이 살아온 발자취를 보며 앞으로의 삶을 걱정한다. 예전에는 평생직업이라 해서 정년이 될 때까지 일자리가 보장되었다. IMF 이후 지금의 50대 중후반은 퇴임을 준비해야 하는 불확실한 미래를 짊어지고 있다. 현대 의학으로 수명은 연장되었지만, 직장 수명은 짧아지고 있다.

남편은 50대 초반이다. 결혼과 동시에 사업을 시작했다. 성실함과 부지런함을 무기로 사업은 번창했다. 번창한 만큼 개인 생활은 없었다. 아이와 함께할 시간도, 여유를 부릴 시간조차도 없었다. 그야말로 앞만 보고 달린 지 20여 년 만에 사업을 정리했다. 열심히 달려왔기에 잠시 쉼은 당연한 선물이었다. 사업을 정리하면 재미있게 놀 수 있다며 큰소리를 뻥뻥 쳤다. 보고 싶었던 친구, 지인을 만나는 것도 얼마 가지 않았다. 언제부터가 TV 보는 시간이 많아졌다. 거실 소파 한쪽이 파이기 시작했다. 자전거도 베란다에서 주인을 기다리고 있었다. 무슨 말을 하면 집에 있다고 잔소리하냐며 대꾸했다. 가만히 있으면 자신을 무시한다며 옆에 와서 씩씩대며 화를 냈다. 늦게 오면 집안 꼴이 이게 뭐냐며 큰소리를 냈다. 한숨 쉬면 위아래 눈을 흘렸다. 집에 먹을 것이 없다, 집이 엉망인데 치울 생각을 하지 않는다며 나날이 언성이 높아져 갔다. 언제부턴가 집에 가는 동안 한숨만 깊어갔다.

시간이 흐르면서 부부 사이는 나빠져갔고 좋은 것보다 나쁜 것만 눈에 들어왔다. 고민 끝에 남편의 손재주가 뛰어난 점에 착안해서 취미로 가죽공예를 해 볼 것을 권했다. 이 말에 관심이 갔는지 가죽 파는 시장에 가서 마음에 드는 것을 구입하고 필요한 도구도 마련하면서 소소하게 가죽공예를 만들었다. 자동차 키가 하나 정도 들어갈 만한 아담한 케이스부터, 꽤 어려운 난이도의 책가방, 핸드백까지 수작업으로 일일이 만들었다. 완성된 것들을 주변 사람에게 주는 재미도 쏠쏠했고 한 땀 한 땀 장인 손길이라며 남들이 칭찬해 주니 남편의 기분도 으쓱해졌다. 이렇게 그 남자의 갱년기는 차츰 사그라졌다.

몇 달 후, 역마살이 있는지 남편은 운수업으로 재기했다. 약 2년 동안 응원과 격려를 해주고 지켜봤다. 몇 년을 지켜본 결과, 하루하루가 쳇바퀴처럼 돌아가는 운수업은 안정적인 면은 있으나 도전적인 부분이 없었다. '평생 업으로 할 수 있는 것이 무엇이 있을까?' 등으로 우리는 앞으로의 직업에 관해 이야기했다. 안주하는 삶이 아니라 주도적인 일을 하기를 원했다. 일에서 보람을 찾는 사람이라 걱정되었다. 그러나 세상 물정을 모른다며 나의 의견은 무시되었다. 천천히 그리고 타당한 근거를 들어가며 설득을 했다. 한고비를 넘기니 남편은 주변 사람한테 물어봤다. 의견이 여러 갈래로 갈렸고, 회사 동료에게도 조언을 구하기도 했다. 이해가 갔다. 여러 사항을 살펴봐야 하는 가장의 책임감을 알기에, 조급해하지 않고 계속 새로운 일에 도전할 수 있도록 동기부여를 심어주었다. 가랑비에 옷이 젖은 것인지, 세뇌당해서 그런지 것인지 이제는 자신이 잘 할 수 있는 일을 찾아보겠다고 했다. 고마웠다. 새로운 도전을 한다는 것에 큰 박수를 보냈다. 사업을 해 봤기에, 첫술에 배부르지 않다는 걸 누구보다 아는 사람이기에 신중하게 계획해 보겠다고 했다. 남편의 에피소드이기는 하나, 은퇴 후 중년 남자의 모습이기도 하다.

나이가 들수록 패기보다 안전을 추구한다. 도전보다 현실에 안주한다. 살다 보면 자기만의 인생 지침서가 있다. 이렇게 살아보니 이러면 안 되고, 저러면 좋더라. 이제야 인생살이를 좀 알겠다며 자신만의 인생 철학을 담고 있다. 그러다 보니 젊은이에게 조언과 지혜를 가르쳐주기도 하고, 자신만의 가치관으로 세상을 판단하기도 한다.

부부 상담에서는 결혼 5년 차 이하 부부를 볼 때도 있지만, 대체로 중년 부부를 만난다. 함께 부부 상담을 받는 경우도 있고 개인 상담으로 진행되는 경우도 많다. 상담을 진행하다 보면 '부엌에 가면 아내 말이 맞고 안방 가면 어머니 말이 맞다'라는 말이 딱 맞다. 각자의 입장을 보면 자기가 그렇게밖에 할 수 없었던 구구절절한 인생사를 풀어놓는다. 서로의 억울함, 쌓아둔 감정을 풀어내는 장이기도 했다. 서로 열심히 살아왔던 탓에 나만의 해석, 나만의 힘듦에 익숙해져서 상대방의 역지사지를 살피는 데는 소원했던 것이다.

"이 사람 말하는 거 들었죠! 정말 자기밖에 몰라요. 이제는 더 못 참겠어요."

아내는 격분한 감정을 쏟아낸다.

"저도 답답합니다. 이제 와서 섭섭하다니 못 살겠다니 하니 저가 더 억울합니다."

남편은 하소연과 억울함을 표출한다.

진정으로 이혼을 원하는 부부는 극히 소수다. 그저 자기 마음을 헤아려달라는 것뿐이다. 자신의 입장을 이해해달라는 방법으로 서로 할퀸다. 소통하는 과정에서 감정싸움이 되고 묵혀있었던 부정적 감정이 서로를 해석하는 데 걸림돌이 되는 거다. 나이 듦에 따라 '관계'의 개념이 달라진다. 남편은 젊었을 때 승진 등 공적인 관계를 중요시했지만, 중년이 되면 가족 간의 관계에 관심을 돌린다. 아내는 그와 반대로 공적인 관계에 관심을 둔다. 삼식이, 두식이 등은 남편의 위치를 대변하기도 한다. 그래서 중년의 정체성 위기이기도 하다.

중년이 되면 마음 근육보다 마음 굳은살이 필요한 시기다. 많은 세월을 견뎌왔고 여러 난관을 헤쳐 나왔다. 자녀를 양육했고 시댁과의 관계에서도 풍파를 버텨냈다. 근육보다는 지금까지 살아온 것을 덤덤히 받아들일 준비가 되어 있어야 한다. 여린 마음 근육만 고집할 수 없다.

굳은살로 인생을 받아들이면 좀 더 편안하게 문제를 바라볼 수 있다.

'또 왔구면, 굳은살이 있으니 이제는 참을 만하다.'

'까짓것. 해 본 경험이 있으니.'

'남아 있는 생을 급급하게 가지 말고 신중하되 과감하게 가자.'

지금까지 살아온 것을 돌이켜보면 자신만의 인생 굳은살이 있다. 죽을 때까지 많은 일이 생긴다. 그러려니 하며 한걸음 뒤로 물러나서 볼 수 있는 것이 중년이다. 그저 연륜이 생기는 것은 아니다. 똑똑한 것은 청춘이고 지혜로운 건 중년이다.

인생을 나아갈 때 지금까지 사용한 마음 굳은살을 믿고 가꾸자. 조급함보다 침 한번 삼키며 돌아볼 수 있는 여유를 가지자. 그 대신 굳은살이 덧나지 않게 필요 없는 것은 제거하자.

필요 없는 굳은살을 없애기 위해서는 따뜻한 차 한 잔의 여유를 가질 필요가 있다. 지금까지 급급하게 살았고 주변을 돌아볼 여유가 없었다. 당신의 아름다운 마음 굳은살을 믿고 주변도 살피고 날카로운 것이 박혀도 허허하며 제거할 수 있도록 하자.

청춘보다 깊고 아름다운 흔적.
치열한 세월을 살아온 훈장

당신의 마음 굳은살을 사랑하고 믿으면서 살자. 충분히 잘 해낼 수 있다. 자신의 마음 굳은살은 나름 잘 새겨지고 있다. 힘내자. 중년이여.

마음 굳은살은 당신이 살아온 인생 나이테입니다.

누군가에게 비빌 언덕이 되어주는 것, 이것이 내 선택이다

마음 굳은살을 어루만졌다. 그동안 고생했다고, 앞으로도 잘 견디자고 위로
했다.

무엇을 위해 살고 있는가? 어떻게 살아야 하는가? 정답을 찾기 위해 많은
도전과 싸웠다. 부서지고 깎기는 고통 속에서 조금씩 형태가 잡혀갔다. 많은
시행착오가 있었기에 지금의 모습이 된 것 같다.

마음에만 담아 두었던 것들을 써 내려간 시간은 치부를 드러내듯 하여 부끄
러웠다. 감추고 싶었던 과거들. 열심히 노력하고 있었구나. 애쓰고 있었구나.
스스로 공감하고 인정해 줬던 경험이었다. 이러한 것들이 있었기에 틀림이 아
니라 다름을 포용할 수 있는 시간이었다. 삶을 점검하는 시간이 있지 않았더
라면 오만과 편견 속에서 '나 잘 났소' 하며 살았을 거 같다.

어린 시절부터 현재까지 많은 상처가 있었기에 마음이 아픈 이를 보면 애가

쓰인다. 덜 아팠으면 좋겠고, 삶의 의미를 가졌으면 했다. 희망의 끈을 놓지 말라고. 비록 지금은 힘들지라도 인생은 어떻게 변화가 될지 아무도 모른다고. 그러니 살아봐야 한다고 전하고 싶었다. 중년임에도 여전히 반성 속에서의 진행형이지만 굳건히 삶을 개척해 나가고 있다는 걸 보여주고 싶었다. 백 마디 말보다 이렇게 서툰 언니도 살고 있다, 그러니 당신도 할 수 있다는 것을.

사회성 좋고 나름 괜찮은 사람이었다면 지금의 나는 없었을 것이다. 좁은 세상 범위에서 살아온 방식만으로도 충분했을 것이다. 아직도 다듬고 손질할 삶이기에 오늘도 반성한다. 잘 해결하며 살아서 적은 것이 아니다. 제대로 살아가기 위해 노력한 것들을 전하고 싶은 마음뿐이다. 어제보다 나은 모습이 되어가고 있다는 걸 믿는다.

우리의 인생은 매 순간 느낄 수 있는 자신의 한계와 비참함 그리고 서러움을 어떻게 나아가야 하는지 선택한다. 선택에 앞서 어떻게 해석할 것인가에 따라 삶의 과제를 풀어나간다. 모든 상황에서 자신을 믿고 나아가야 하는 데 그렇지 못할 때 탓이 난다. 무엇보다 자신을 용서하고 수용하는 자세 그것이 필요하다. 자신을 수용하지 못하면 타인에게 관대할 수 있을지라도 편하지는 않을 것이다. 완전한 자신이 되지 못하는 것이다.

우리는 삶의 의미를 찾아가는 데 때때로 난관에 부딪히고 방향을 잃을 수 있다. 힘든 시기의 모습이 전부인 양 무기력하게 산다는 건 행복을 포기하는 것이다. 힘든 지금의 삶은 잠깐 쉬어가라는 쉼표로 여겼으면 좋겠다. 아파봤기에 그 마음 안다. 나의 소명은 마음이 고픈 이들에게 따뜻한 마음 밥상을 나누는 것이다.

앞으로의 삶은 걱정보다 내 곁에 있는 사람과 행복을 나누며 사는 것이다. 따뜻한 저녁밥을 먹으면서 이런저런 담소를 나누는 기쁨. 혼자가 아니라 함께

하는 즐거움. 상대편이 아니라 우리 편이라는 여유로운 삶을 그리며 살고 싶다.

인생이 늘 아름답지는 않지만 살아볼 만하다. '나다움'으로 인생을 요리하는 데 필요한 재료는 무엇인지 찾아가는 재미. 즐거울 것 같다.

아들이 엄마는 마음이 쿠크다스라며 걱정한다. 맞다. 상처 잘 받고 눈물도 많다. 걱정도 많다. 그것이 내 모습인데 어찌하겠는가?

이제부터는 말보다 행동으로 보일 차례가 됐다. 삶의 주인공은 내가 되는 것 그리고 성실히 걸어가는 것이다.

묘비명은 '최선을 다했다. 그것만으로도 충분하다.' 더 좋은 글이 없다. 자기 삶의 주인공이 되는 것이다. 서툰 언니의 인생 요리법은 진행형이다.

미루지 마세요. 도망치지 마세요. 너무 열심히 살지 마세요.

지금 내 곁에 있는 분들과 얼굴 보며 담소를 나누는 것부터가

소소하지만, 행복한 시간입니다.